A1
A2

À LA UNE 2
Au cœur du monde francophone

Auteures

SPECIMEN

Katia Brandel
Charlotte Jade
Morgane Pellé
Amandine Quétel
Delphine Rouchy
Julie Uny
Raphaële Fouillet (Grammaire)
Araceli Rodríguez Tomp (Phonétique)
Hélène Todorovic (DNL)

Livre de l'élève + CD

EDITIONS
maison des
langues

www.emdl.fr/fle

AVANT-PROPOS

À la une est une méthode de français langue étrangère. Cette collection est le fruit du travail d'une équipe d'auteurs, enseignants et formateurs aux expériences professionnelles variées et bien conscients de ce que sont les réalités d'enseignement avec des adolescents. Cette équipe s'est investie énormément dans la création de cette méthode et s'est tout particulièrement attachée à proposer une méthode qui permet un enseignement dynamique grâce à une grande implication des élèves.

À la une en quelques mots :

• Un concept attrayant : la méthode est construite autour de **huit adolescents** issus de différentes villes francophones, auxquels les élèves peuvent facilement s'identifier : Marrakech, Bruxelles, Strasbourg, Abidjan, Marseille, Rennes, Dakar et Lille
• Des **leçons et des activités courtes**, parfaitement adaptées à de jeunes adolescents et à la réalité des enseignants.
• Des **apports linguistiques progressifs** tout au long de la méthode et synthétisés de façon claire et visuelle dans les pages *Grammaire* et *Carte mentale*

• **Des activités accessibles et des jeux** pour favoriser l'implication des élèves, susciter les interactions au sein de la classe et placer les élèves en situation de réussite
• Des documents aux supports variés (texte, audio, vidéo) et choisis en fonction des centres d'intérêts des adolescents d'aujourd'hui
• **Une découverte culturelle** du monde francophone, de ses habitants et de leur vie quotidienne ainsi qu'une sensibilisation aux valeurs citoyennes
• De nombreux éléments pour initier une **réflexion interculturelle** : une mise en parallèle d'éléments culturels francophones avec la culture des élèves
• Des stratégies pour mieux apprendre le français
Toute l'équipe de cette collection espère vivement que la collection vous plaira et fera naître de nombreux échanges enthousiastes dans vos salles de classe !

Excellente année avec **À la une** !

Cet ouvrage est basé sur l'approche didactique et méthodologique mise en place par les auteurs de *Reporteros* : Sandrine Debras, Milagro Carolina Hamon-Díaz, Delphine Rouchy, Sophie Rouet, Gwenaëlle Rousselet, Leen Roussel-Decaluwé et Sylvie Baudequin.

Révision pédagogique : Agustín Garmendia et Estelle Foullon
Édition : Diakha Siby, Núria Murillo, Simon Malesan
Documentation : Gaëlle Suñer Rabaud
Conception graphique : pica.agency, Laurianne López (couverture)
Mise en page : pica.agency, Ana Varela García, Enric Rújula, Giovanni Roncador, Javier Carrascosa
Illustrations : Alejandro Milà, Laurianne López (p.12, 28, 44, 60, 76, 92, 108, 124)
Photographies des adolescents : García Ortega
Relecture et correction : Sarah Billecocq, Martine Chen et Laure Dupont

CRÉDITS

CRÉDITS PHOTOGRAPHIQUES

Couverture : García Ortega
Unité 1 Luc Viatour/https://Lucnix.be, Difusión, Iefym Turkin/iStock, sarawutk/Adobe Stock, Fox/Adobe Stock, Serhiy Shullye/Adobe Stock, constantinos/Adobe Stock, Alessio Cola/Adobe Stock, valery121283/Adobe Stock, Svetlana Kuznetsova/Adobe Stock, Multiart/Adobe Stock, Nikolai Sorokin/Adobe Stock, sommai/Adobe Stock, volff/Adobe Stock, Joe Gough/Adobe Stock, sangsiripech/Adobe Stock, Serhiy Shullye/Adobe Stock, Natika/Adobe Stock, constantinos/Adobe Stock, EM Art/Adobe Stock, Tim UR/Adobe Stock, Natalya Korolevskaya/Adobe Stock, Brad Pict/Adobe Stock, EM Art/Adobe Stock, Pictures news/Adobe Stock, Mara Zemgaliete/Adobe Stock, nedomacki/Adobe Stock, bortonia/iStock, Vasilyevalara/iStock, bortonia/iStock, Salamatik/iStock, YB/Adobe Stock, Ryzhkov/Adobe Stock, Jérôme Rommé/Adobe Stock, Keddy/Adobe Stock, Difusión, grafico2011/Adobe Stock, VeselovaElena/iStock, Mi.Ti./Adobe Stock, Prostock-studio/Adobe Stock, bortonia/iStock, Vasilyevalara/iStock, bortonia/iStock, Salamatik/iStock, YB/Adobe Stock, Rostichep/Adobe Stock, fcafotodigital/iStock, Mny-Jhee/Adobe Stock, Photopips/Dreamstime, Corinna Gissemann/Adobe Stock, AlasdairJames/iStock, Zerbor/Adobe Stock, mariusz_prusaczyk/iStock, Difusión, Marco Mayer/Adobe Stock, Jean-François Gornet/Flickr, indigolotos/Adobe Stock, Natika/Adobe Stock, Africa Studio/Adobe Stock, constantinos/Adobe Stock, egorxfi/Adobe Stock, sonyakamoz/Adobe Stock, picoStudio/Adobe Stock, Rido/Adobe Stock, ivolodina/Adobe Stock, a_namenko/iStock **Unité 2** Sergii Figurnyi/Adobe Stock, Difusión, mmac72/iStock, Sergii Figurnyi/Adobe Stock, asiseeit/iStock, pixelheadphoto/Adobe Stock, Juanmonino/iStock, carballo/Adobe Stock, hikdaigaku86/Adobe Stock, Steve Debenport/iStock, Halfpoint/iStock, olly/Adobe Stock, darijashka/Adobe Stock, Julien Eichinger/Adobe Stock, Milta/Adobe Stock,

PeopleImages/iStock, Gunold/Dreamstime, Ricky Goshen/Dreamstime, auremar/Adobe Stock, nelik/Adobe Stock, OsamaK/Wikimedia, Vlad Kochelaevskiy/ Adobe Stock, Alena Stankevich/Adobe Stock, Donaldytong/Wikimedia, Meusulb2013/Wikimedia, 35007/iStock, Difusión, gorodenkoff/iStock, Alina Zienowicz Ala z/Wikimedia, carloscastilla/Adobe Stock, STUEDAL/Adobe Stock, Julien Tromeur/Adobe Stock, Wikimedia, unknown/wikimedia, Wikimedia, Infomastern/ Flickr, Enfo/Wikimedia **Unité 3** Difusión, Jonathan Stutz /Adobe Stock, Dietmar Rabich/Wikimedia, Ariane Citron/Adobe Stock, creativefamily/Adobe Stock, mweber67/Adobe Stock, hadynyah/iStock, brytta/iStock, Dina/Adobe Stock, haoliang/iStock, Difusión, AnnaFrajtova/iStock, MsEli/iStock, Alex/iStock, nicolamargaret/iStock, Comugnero Silvana/Adobe Stock, Ingo Bartussek/Adobe Stock, mcxurxo/Wikimedia, Konstiantyn/Adobe Stock, Max Topchii/Adobe Stock, kab-vision/Adobe Stock, vladru/iStock, alswart/Adobe Stock, DimiTalen/Wikimedia, Juanmonino/iStock, Stefan Mlynarcik/iStock, MsEli/iStock, AnnaFrajtova/ iStock, Octavio espinosa campodonico/Wikimedia, Maurice Metzger/Adobe Stock, Nicoleon/ Wikimedia, Alexrk2/Wikimedia, Difusión, lochstampfer/Adobe Stock, MsEli/iStock, valiza14/Adobe Stock, Angel Simon/Adobe Stock, Francisco Javier Gil/Adobe Stock, Txo/Wikimedia, Javier Gonzalez/iStock, rruntsch/Adobe Stock, A. Karnholz/Adobe Stock, Alexmar/Adobe Stock, Olivier Tabary/Adobe Stock, JackStock/Adobe Stock, Cedric/Adobe Stock, E Pluribus Anthony/Wikimedia **Unité 4** RyansWorld/Wikimedia, Rob Byron/Adobe Stock, tunart/iStock, sunt/Adobe Stock, Maike Hildebrandt/iStock, JakeOlimb/iStock, viviyan/iStock, Enis Aksoy/iStock, grimgram/iStock, Serhii Brovko/iStock, ChrErard/Wikimedia, Anna Cinaroglu/Dreamstime, Junpinzon/Dreamstime, Sadeugra/iStock, The Shabby Creek Cottage, Iva/Adobe Stock, sankai/iStock, magnetcreative/iStock, mawielobob/iStock, y-studio/iStock, ersinkisacik/iStock, Juan Moyano/Dreamstime, Ruslan Gilmanshin/Dreamstime, Vladimir Kopylov/Dreamstime, Roman Stetsyk/Adobe Stock, Frantisek Jarabica/Dreamstime, Maike Hildebrandt/iStock, Jacquitoz/Wikimedia, Oumounyvine/Wikimedia, Bottracker/Wikimedia, Rob Byron/Adobe Stock, Marguerite Abouet & Clément Oubrerie, Aya de Yopougon /© Gallimard, Difusión, Atlantis/Adobe Stock, Marius Hasnik/Adobe Stock, MATHIEU/Adobe Stock, Chlorophylle/Adobe Stock ,Kaizen Magazine **Unité 5** ivansmuk/iStock, Norman Thavaud - Chaîne YouTube "Norman fait des vidéos", Difusión, serdar415/iStock, Amnajtandee/iStock, Dave Bredeson/ Dreamstime, Violetastock/iStock, ungureanus/iStock, Mickael Guyot/iStock, 9george/Dreamstime, Paul E R Orr/Dreamstime, gerenme/iStock, onurdongel/ iStock Prynt Corp, Phonotonic, Association Génération Numérique, Horst Petzold/Dreamstime, Rabbit © Jeff Koons, Portrait of Jeff Koons by Chris Fanning, AFADP, CAI, OIF, FatCamera/iStock, Daft_Lion_Studio/iStock, John_Kasawa/iStock, ChrisAt/iStock, matty2x4/iStock, Rawpixel/iStock, posteriori/iStock, French Tech, SiefkinDR/Wikipedia, Difusión, Honikou Games, RoyalCactus, Zapp2Photo/iStock, DGLimages/iStock, **Unité 6** © INREES Production - Tous droits réservés, Lenise Calleja/Dreamstime, Difusión, Stanzilla/Wikipedia, Maisons du monde, Camping Cap de Bréhat (Bretagne, France), Camping des Cerisiers (Guillac - 56), Aquashell, Les Foudres de La Fouquais (Cornillé), Appfind/iStock, filmlandscape/iStock, imaginima/iStock, dja65/iStock, izzetugutmen/iStock, rolleiflextlr/iStock, Leonid Andronov/Dreamstime, Steve Allen/Dreamstime, F11photo/Dreamstime, sinankocaslan/iStock, Pogotskiy/iStock, Grassetto/ iStock, nadla/iStock, dmitriymoroz/iStock, 517227072/iStock, Rixie/Dreamstime, XIIIfromTOKYO/Wikipedia, Lektz/Wikipedia, Difusión, Panoramio upload bot/ Wikipedia, 1enchik/Dreamstime, Alkari/Wikipedia, Rudloff/Wikipedia, perkmeup/iStock, Algefoto/iStock, roman_slavik/iStock, Serge Ottaviani/Wikipedia, Naty Strawberry/Fotolia, kjekol/iStock, Joel Carillet/iStock, Deligne, amesy/iStock, **Unité 7** Margaud Liseuse, IgorSPb/iStock, Difusión, AAGGraphics/iStock, Difusión, Short édition, Le Groupe - Jean-Philippe Blondel © Actes Sud (2017), Pyramide Films, arborelza/iStock, Mihai Maxim/iStock, AlonzoDesign/iStock, smartboy10/iStock, Roxanna/Wikipedia, Le Cercle Points, SafakOguz/iStock, Difusión, Ctruongngoc/Wikipedia, © Le Livre de Poche, Présence Africaine Éditions, iStock/angelinast, Kudryashka/iStock, gradyreese/iStock, Difusión, George Sand - La mare au diable - Gallimard - Collection Folio Classiques, Michel Tournier - Vendredi ou la vie sauvage - Gallimard - Collection Folio Junior, Alain-Fournier, Le Grand Meaulnes - Gallimard - Collection Folio Junior Texte classiques, Minor edit/Wikipedia, Antoine de Saint-Exupéry - Le Petit Prince - Gallimard - Collection Folio Junior, Wikiart, Paris 16/Wikipedia, Trzesacz/Wikipedia, Mar11/Wikipedia, Sysywjel/Wikipedia, Dontworry/Wikipedia, **Unité 8** ©France Bénévolat - association pour le développement de l'engagement bénévole associatif pour une citoyenneté active – www.francebenevolat.org, Velvet/Wikipédia, Difusión, www. tout-bon.com, Les blouses roses, Les restaurant du cœur, Fondation Nicolas-Hulot, Action contre la faim, Les petits frères des Pauvres, Ministère de l'Agriculture et de l'Alimentation, Mairie de Paris, CRK (Agentur für Kommunikation, Kreation und Kino), WikiPedant/Wikipedia, JJ Georges/Wikipedia, Steve Debenport/iStock, Tracy Whiteside/Dreamstime, Simone Van Den Berg/Dreamstime, Piksel/Dreamstime, ajr_images/iStock, Lin Gang/Dreamstime, Saber68/Wikipedia, © 2017_creations-d-utilite-publique.fr_ Mathilde Bardel & Edith Chambon, Velvet/Wikipedia, Difusión, Romainberth/Wikipedia, Jiel/Wikipedia, prawny/iStock, filadendron/iStock, MachineHeadz/iStock, UNICEF France.

CRÉDITS DES DOCUMENTS AUTHENTIQUES

Unité 1 extrait de *Courses au Souk*, Les Marioles Trotters, chaîne Youtube : Les Marioles Trotters, blog : www.lesmariolestrotters.com **Unité 2** *Madagascar: des jeunes français qui font du tourisme solidaire, JT FR2*, © INA 2016 **Unité 3** extraits *Vienne et Prague*, © TwoFaceLizzie **Unité 4** *Une seconde vie pour les pneus usagés* © Medi 1 TV, p. 98 Rose CIMA - www.paris-en-rose.fr, The Shabby Creek Cottage, première de couverture *Aya de Yopougon*, Marguerite Abouet & Clément Oubrerie, *Aya de Yopougon* © Gallimard, Infographie *Pour un pantalon en jean*, Kaizen Magazine. **Unité 5** Norman Thavaud - Chaîne YouTube *"Norman fait des vidéos"*, Association Génération Numérique, Rabbit © Jeff Koons, Portrait of Jeff Koons by Chris Fanning, AFADP, CAI, OIF, **Unité 6** © INREES Production – Tous droits réservés, Kennes Éditions **Unité 7** Margaud Liseuse, Short édition, *www.conte-moi.net* - Conteurs : Massamba Guèye et Raphaël Ndiaye, Le Groupe - Jean-Philippe Blondel © Actes Sud, 2017, Pyramide Films, Le Cercle Points, Le Livre de Poche, Présence africaine éditions, **Unité 8** ©France Bénévolat - association pour le développement de l'engagement bénévole associatif pour une citoyenneté active – www.francebenevolat.org, Les blouses roses, Les restaurant du cœur, Fondation Nicolas-Hulot, Action contre la faim, Les petits frères des Pauvres, Ministère de l'Agriculture et de l'Alimentation, Mairie de Paris, CRK (Agentur für Kommunikation, Kreation und Kino), © 2017_creations-d-utilite-publique.fr_ Mathilde Bardel & Edith Chambon, UNICEF France.

REMERCIEMENTS

Nous tenons à remercier tout particulièrement les personnes suivantes pour leur précieuse collaboration à la réalisation de ce manuel : Virginie Karniewicz et Antonio Melero, qui par leur implication et partage d'expérience ont permis la réalisation de ce manuel. Merci à ceux qui ont contribué à cette publication, notamment : Delphine Rouchy, Aliénor, Noélie, Yassir, Agathe, Evann et Aïssata. Merci enfin à nos « voix ».

www.emdl.fr/fle

MIXTE
Papier issu de sources responsables
FSC® C125125

DANGER
LE PHOTOCOPILLAGE TUE LE LIVRE

ZOOM SUR LES UNITÉS DE À LA UNE

La page d'ouverture

Une **vidéo** authéntique et moderne en lien avec la thématique de l'unité.

Une **carte** pour découvrir la **ville** du personnage central de l'unité. Ici, c'est Fatou qui nous parle depuis Dakar !

En route ! Des **activités** sur un chat et autour d'une vidéo pour entrer dans la thématique.

Le **sommaire**, pour connaître tes **projets** et les **objectifs communicationnels et culturels** de l'unité.

Les trois leçons

L'objectif de la leçon : que vas-tu **apprendre à dire ou à faire** en français ?

Des **activités variées** pour t'entraîner à **lire, écouter, écrire** et **parler** en français.

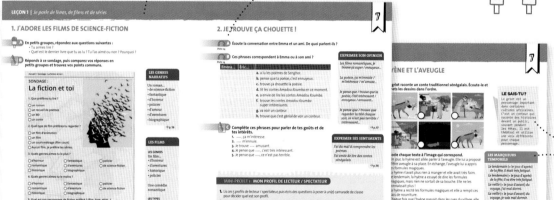

Le sais-tu ? Une **rubrique culturelle** pour en savoir plus sur un thème intéressant lié au sujet de l'unité.

Des **rubriques** avec des **aides lexicales** et des **explications grammaticales**.

CI (Classe inversée) pour indiquer qu'il s'agit d'une rubrique qu'il faut lire avant de faire l'activité.

Des **projets** qui font appel à ta créativité et à ton imagination pour **mettre en pratique ce que tu as appris** dans la leçon.

Astuce
Des stratégies pour **mieux apprendre** le français et pour **faire des liens** entre le français et les différentes langues que tu connais.

Des **jeux** pour **apprendre en t'amusant** avec tes camarades.

Les deux pages
Grammaire

Des **explications détaillées** pour chaque point de grammaire de l'unité et des **activités** pour t'exercer.

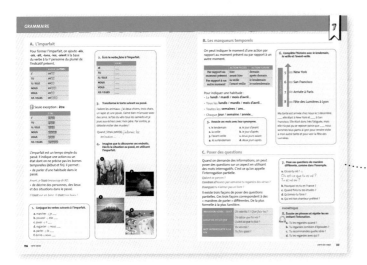

Les deux pages
Ma carte mentale

Une **carte mentale** pour visualiser tout le **vocabulaire** utile de l'unité avec des **exercices ludiques** pour t'aider à le mémoriser.

Les deux pages
Fenêtre sur

Des **reportages** intéressants pour en savoir plus sur la ville ou la région du personnage de l'unité.

Journaliste en herbe ! Dans chaque unité, réalise un article, une vidéo, une interview… et construis peu à peu ton book de reporter !

Fais le point sur tout ce que tu as appris sur le monde francophone grâce à ce **quiz culturel** !

Une page DNL

Une page de **DNL (Discipline Non Linguistique)** pour une approche interdisciplinaire.

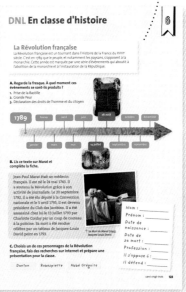

Une page pour
Le projet final

Un **projet collectif final** permettant de mobiliser les compétences de l'unité.

Tableau des contenus

	PROJETS	OBJECTIFS DE COMMUNICATION	
UNITÉ 1 **Bon appétit !** *Marrakech* **p. 12** 	**Projet 1:** Créer un plat original. **Projet 2:** Imaginer un repas idéal. **Projet 3:** Inventer le menu de son restaurant. **Projet final:** Créer un menu pour la journée gastronomique francophone du collège.	**Leçon 1:** Parler des aliments et de ses goûts alimentaires. **Leçon 2:** Parler des repas et des saveurs. **Leçon 3:** Parler de la liste de courses et passer une commande.	
UNITÉ 2 **Mes intérêts** *Bruxelles* **p. 28** 	**Projet 1:** Donner des conseils à ses camarades à partir de leur fiche d'orientation. **Projet 2:** Créer un projet d'été solidaire. **Projet 3:** Organiser un forum d'échange de savoirs. **Projet final:** Imaginer le forum d'orientation de 2050.	**Leçon 1:** Parler de ses études et des professions. **Leçon 2:** Présenter ses projets d'été. **Leçon 3:** Proposer un troc de savoirs.	
UNITÉ 3 **Sur la route** *Strasbourg* **p. 44** 	**Projet 1:** Imaginer une expérience de vacances. **Projet 2:** Inventer un pays imaginaire. **Projet 3:** Donner de bons plans dans sa ville. **Projet final:** Rédiger le carnet d'un voyage imaginaire.	**Leçon 1:** Raconter ses voyages. **Leçon 2:** Parler du climat. **Leçon 3:** Situer, décrire un lieu et conseiller des activités à faire.	
UNITÉ 4 **Recyclons!** *Abidjan* **p. 60**	**Projet 1:** Inventer un véhicule propre. **Projet 2:** Faire un tutoriel. **Projet 3:** Imaginer un relooking. **Projet final:** Créer un programme pour une école plus écologique.	**Leçon 1:** Expliquer pourquoi et comment trier les déchets. **Leçon 2:** Comprendre un tutoriel. **Leçon 3:** Proposer d'échanger des objets qu'on n'utilise plus.	

OBJECTIFS GRAMMATICAUX ET PHONOLOGIQUES	OBJECTIFS LEXICAUX	OBJECTIFS CULTURELS
• L'expression des goûts • Les articles partitifs • Le pronom **on = les gens** • **Aller à / chez** • L'expression de la nécessité : **avoir besoin de** **Phonétique :** Les nasales [ɔ̃] et [ɑ̃]	• Les aliments et les boissons • Les saveurs • La commande au restaurant • Les quantités • Les repas de la journée	• **Vidéo** : *Les courses au souk* • **Fenêtre sur** : La gastronomie marocaine • **DNL** : Le français en cours de SVT
• Le futur proche • Les marqueurs temporels du futur • Le verbe **vouloir** • Les verbes **savoir** et **connaître** • **J'aimerais / je voudrais** • **Aider à** **Phonétique :** Le verbe **vouloir** au singulier et au pluriel	• Les professions • Les parcours d'études • Les actions solidaires • Les projets solidaires • Les compétences et les capacités	• **Vidéo** : *Madagascar : des jeunes Français font du tourisme solidaire* • **Fenêtre sur** : Bruxelles, capitale de l'Europe • **DNL** : Le français en cours d'histoire de l'art
• Le passé composé avec **avoir** • Les prépositions de lieu • La place des adjectifs • **Le mieux**, c'est de... **Phonétique :** Le passé composé avec **avoir**	• Les saisons et le climat • Les voyages • Les paysages • La météo • Les activités en voyage	• **Vidéo** : *Vienne et Prague* • **Fenêtre sur** : Strasbourg et l'Alsace • **DNL** : Le français en cours de géographie
• Le verbe **jeter** • Les interrogatifs • Le verbe **vendre** • Les pronoms COD • Les marqueurs pour organiser son discours • Les démonstratifs • Les prépositions avec les matières **Phonétique :** Distinguer les démonstratifs **ce** et **ces**	• Les actions du recyclage • Les vêtements et les matières • Le travaux manuels • Les éléments naturels	• **Vidéo** : *Mali : une solution innovante pour les pneus usés* • **Fenêtre sur** : Les vêtements et les tissus ivoiriens • **DNL** : Le français en cours de technologie

	PROJETS	OBJECTIFS DE COMMUNICATION
UNITÉ 5 **Connectés** *Marseille* p. 76 	**Projet 1:** Imaginer un objet du futur. **Projet 2:** Réaliser une enquête sur l'utilisation des réseaux sociaux. **Projet 3:** Imaginer une journée sans technologie. **Projet final:** Créer une application.	**Leçon 1:** Décrire des objets quotidiens et numériques, parler des objets du futur. **Leçon 2:** Parler des réseaux sociaux et des applications (de l'usage qu'on en fait et de leur histoire). **Leçon 3:** Parler des dangers d'Internet et donner des conseils pour bien l'utiliser.
UNITÉ 6 **La maison** *Rennes* p. 92 	**Projet 1:** Dessiner le plan d'un appartement idéal. **Projet 2:** Redécorer sa chambre. **Projet 3:** Découvrir quelle est la tâche ménagère la plus aimée et la plus détestée de la classe. **Projet final:** Faire la visite d'un logement.	**Leçon 1:** Décrire un appartement et parler des meubles et des objets qui s'y trouvent. **Leçon 2:** Décrire des objets et comparer des maisons et des objets. **Leçon 3:** Décrire une chambre et parler des tâches ménagères qu'on doit faire.
UNITÉ 7 **Fictions** *Dakar* p. 108 	**Projet 1:** Interviewer un(e) camarade et définir son profil de lecteur / spectateur. **Projet 2:** Raconter un conte et s'enregistrer. **Projet 3:** Faire une liste des 10 livres et films préférés de la classe. **Projet final:** Devenir des youtubeurs : recommander un livre, un film ou une série.	**Leçon 1:** Parler des genres narratifs et des types de film, exprimer son opinion sur un livre, un film ou une série. **Leçon 2:** Raconter des histoires. **Leçon 3:** Résumer et recommander une histoire de fiction.
UNITÉ 8 **Engagés** *Lille* p. 124	**Projet 1:** Présenter une association. **Projet 2:** Organiser une manifestation pour protester contre une situation injuste. **Projet 3:** Rédiger une charte de solidarité de la classe. **Projet final:** Créer un tract pour défendre une cause.	**Leçon 1:** Parler des problèmes dans le monde et des causes à défendre. **Leçon 2:** Manifester, créer des affiches, des campagnes de sensibilisation, expliquer pourquoi et comment on s'engage. **Leçon 3:** Expliquer comment on aide les autres, parler de la solidarité au collège.

OBJECTIFS GRAMMATICAUX ET PHONOLOGIQUES	OBJECTIFS LEXICAUX	OBJECTIFS CULTURELS
• Exprimer l'interdiction • Le futur proche (rappel) • Le passé composé avec **être** • Les adjectifs indéfinis • La négation : **ne... jamais, ne... rien, ne... personne, ne... aucun** **Phonétique :** Les sons [z] et [s]	• Décrire un objet • Internet : activités et mesures de sécurité • Les objets connectés • Le téléphone portable et les applications	• **Vidéo :** *Accro à ton smartphone ?* • **Fenêtre sur** : La French Tech Aix-Marseille • **DNL** : Le français en cours de littérature
• **Il y a, il n'y a que** • Les comparatifs • Le superlatif • Le pronom **y** • Exprimer l'obligation : **devoir** + infinitif, **être obligé(e) de** + infinitif **Phonétique :** **[ply]** et **[plys]**	• La maison : les pièces, les meubles, les objets et les matériaux • Décrire un pièce • Les tâches ménagères	• **Vidéo :** *La Yourte écologique* • **Fenêtre sur** : La ville de Rennes • **DNL** : Le français en cours d'éducation aux médias
• L'imparfait : forme et emploi • Les marqueurs de temps • Poser des questions : les différents types de questions partielles **Phonétique :** Les questions et l'intonation	• Les genres narratifs • Exprimer l'opinion • Exprimer les sentiments • Résumer et recommander une histoire de fiction • Donner son avis sur une histoire de fiction • Les séries	• **Vidéo :** *Test. Avez-vous déjà lu ?* • **Fenêtre sur** : Léopold Sédar Senghor, Fatou Diome, Birago Diop • **DNL** : Le français en cours d'histoire
• Les gallicismes : **venir de / être en train de** + infinitif • Les pronoms personnels COD et COI • L'impératif **Phonétique :** Les sons [e], [ɛ] et [ø]	• Les problèmes dans le monde • Les proportions • L'engagement : acteurs et actions • Exprimer son opinion • Les relations de solidarité au collège	• **Vidéo :** *Sur le fil du bénévolat* • **Fenêtre sur** : La ville de Lille • **DNL** : Le français en cours d'éducation civique

À la une

YASSIR

Il est marocain et il habite à Marrakech. Yassir adore manger et faire la cuisine, il connaît de nombreuses recettes traditionnelles de son pays.

CHLOÉ

Elle est française et elle vient de s'installer à Strasbourg, dans l'Est de la France. Sa passion : les voyages ! Elle a visité la Chine, l'Argentine, le Maroc...

ÉMILIE

Elle est française et elle habite à Marseille. Elle utilise beaucoup son téléphone portable et communique avec ses amis grâce à des applications comme Snapchat. Elle s'intéresse beaucoup aux nouvelles technologies et aux objets connectés.

FATOU

Elle est sénégalaise et elle vient de Dakar, la capitale. Elle est passionnée de littérature et elle aime aussi beaucoup écrire des histoires.

CÉLINE

Elle habite à Bruxelles, la capitale de la Belgique et, quand elle a du temps libre, elle essaie d'aider les autres en étant bénévole dans des associations.

MOUSSA

Il est ivoirien, son pays, c'est donc la Côte d'Ivoire. Il habite à Abidjan et il est préoccupé par l'environnement et la nature.

EVANN

Il habite à Rennes dans le Nord-Ouest de la France, en Bretagne. Evann adore la musique celtique, la musique traditionnelle de sa région, et il parle un peu breton, la langue régionale !

ADRIEN

Il est français et vient de la ville de Lille, dans le Nord de la France, à côté de la Belgique. Adrien est très sportif, il pratique le handball plusieurs fois par semaine et il est bénévole dans une association qui aide les jeunes du Mali.

UNITÉ 1
Bon appétit !

⇧ *Courses au souk*, Les Marioles Trotters (2018)

⇧ Place Jemaa el-Fna, Marrakech

LEÇON 1

Je parle des aliments et des goûts alimentaires

- Les aliments et les boissons
- Les groupes d'aliments
- Les goûts alimentaires

Mini-projet 1

Créer un plat original.

LEÇON 2

Je parle des saveurs et des repas

- Les saveurs de base
- Les articles partitifs
- Les repas de la journée
- Le pronom **on = les gens**

Mini-projet 2

Créer son menu idéal.

LEÇON 3

Je fais une commande et la liste de courses

- Le menu
- La commande au restaurant
- Les quantités
- **Avoir besoin de**
- **Aller à / Aller chez**

Mini-projet 3

Jouer une scène au restaurant.

FENÊTRE SUR

Je découvre la gastronomie marocaine.

PROJET FINAL

CRÉER UN MENU POUR LA JOURNÉE GASTRONOMIQUE FRANCOPHONE DU COLLÈGE

Marrakech

Salut ! Je m'appelle Yassir et j'habite à Marrakech, au Maroc. Dans cette unité, nous allons parler de l'alimentation !

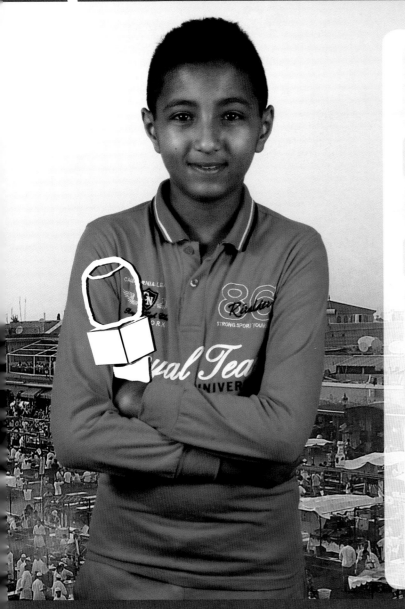

Yassir
Coucou Maxime, ça va ? Cet été, avec mes parents, je viens en vacances en France ! On peut se voir chez toi à Lyon !
√ 18:19

Maxime
Super !! Trop content ! 😃
√ 18:21

Yassir
Moi aussi !
√ 18:22

Maxime
Tu fais quoi, maintenant ?
√ 18:25

Yassir
Là, je me repose et, plus tard, je vais avec ma mère au souk de Marrakech, c'est comme un marché.
√ 18:27

Maxime
Cool ! On trouve quoi au souk ?
√ 18:29

Yassir
On trouve de tout. De la nourriture, des vêtements et on peut aussi manger là-bas !
√ 18:32

Maxime
Super ! L'été prochain, je peux venir chez toi et on peut aller au souk ? ☺
√ 18:35

En route !

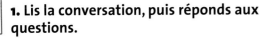

1. Lis la conversation, puis réponds aux questions.
a. Où habite Yassir ?
b. Que va faire Yassir avec sa mère ?
c. On peut faire quoi dans un souk ?

2. Est-ce que tu connais un plat marocain ?

 3. Regarde la vidéo et entoure les aliments que tu vois.

a. Concombres   **b.** Citrons

c. Tomates   **d.** Oranges

LE SAIS-TU ?

Le souk est un marché arabe. Le souk de Marrakech est l'un des plus connus au Maroc.

1. LES GROUPES D'ALIMENTS

 A **Observe ces 14 ingrédients et classe-les dans le groupe qui convient.**

Le yaourt   Les œufs   Le poisson   Le beurre   Les bananes   Le lait   Les pommes

Le steak   Le jus d'orange   Les tomates   Les pommes de terre   Les oranges   Les pâtes   Les carottes

Le yaourt est un produit laitier.

LES ALIMENTS ET LES BOISSONS

Les courgettes

L'huile d'olive

Les fraises

L'eau

Le riz

Le chocolat

Le poulet

La salade

⇢ p. 22

 B **Voici les recommandations pour un repas équilibré en France. À deux, créez votre repas équilibré à partir de ce document.**

Comme crudités, des tomates, comme plat, de la viande...

UN REPAS ÉQUILIBRÉ

crudités + **plat**
poisson ou viande
légumes/féculents
+ **un produit laitier** + **un fruit**

 ASTUCE

Observe et relève les aliments dont le genre est différent dans ta langue.

LE SAIS-TU ?

En France, le Programme national nutrition santé (PNNS) conseille de manger cinq fruits et légumes par jour.

 C **Par deux, pense à un ingrédient et ton camarade doit le deviner.**

• *Je suis un légume et je suis vert.*
○ *La courgette !*

2. J'AIME / JE N'AIME PAS

A Écoute le dialogue, puis complète le tableau avec les goûts de Yassir et de ses parents.

Piste 1

le poisson   le poulet   les carottes   les dattes

les pommes de terre   les oranges   les pommes

	Il / Elle aime	Il / Elle n'aime pas
1. Yassir		
2. La mère de Yassir		
3. Le père de Yassir		

LES GOÛTS

Tu adores le poulet.
Tu aimes les oranges.
Papa n'aime pas la viande.
Je déteste le poisson.

→ p. 20

B Quel aliment tu préfères pour chaque groupe de l'activité 1A ? Discute avec ton camarade, pose-lui des questions pour connaître ses goûts, puis présente-les à la classe.

● Quel fruit tu préfères ?
○ J'aime les bananes.

LE SAIS-TU ?

Les aliments les plus consommés en France sont les pâtes, le riz, le pain et le fromage. Et dans ton pays ?

C Pense à ton plat préféré et nomme les ingrédients pour le faire deviner à ton voisin.

● Pommes de terre, crème fraîche et lait.
○ C'est le gratin dauphinois!

D Chaque élève écrit sur un papier cinq aliments qu'il aime et cinq aliments qu'il déteste. Regroupez les papiers, puis notez les résultats. Quels aliments tout le monde adore ? Et ceux qu'ils détestent ?

J'aime
- les tomates
- le chocolat

Je déteste
- les haricots verts
- les concombres

Tout le monde aime le chocolat !

C'est une pizza banane, kiwi et chocolat !

MINI-PROJET 1 : **NOTRE PLAT ORIGINAL**

1. En groupes, vous allez créer un plat original à partir d'un plat que vous connaissez. D'abord, choisissez un plat.

2. Mettez-vous d'accord sur les nouveaux ingrédients pour votre plat original.

4. Cherchez des photos pour illustrer votre nouveau plat.

5. Présentez-le à la classe et votez pour le plat le plus original.

→ Alternative numérique
Créer une image de votre plat avec des illustrations.

3. LA SAVEUR DES ALIMENTS

A Voici les cinq saveurs de base. Donne le nom d'un aliment pour chaque saveur.

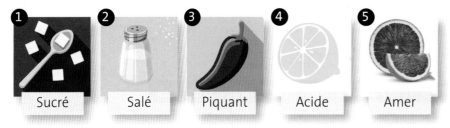

1 Sucré **2** Salé **3** Piquant **4** Acide **5** Amer

Le miel est sucré.

LES SAVEURS

Sucré(e)
Salé(e)
Piquant(e)
Amer / amère
Acide

⤳ p. 22

B Quelles sont tes saveurs préférées ? Quelles saveurs tu n'aimes pas ?

J'aime beaucoup les plats sucrés, mais je déteste les plats piquants.

C Observe les plats et associe-les avec les descriptions.

On mélange les saveurs

Canard à l'orange   Tarte au citron   Chili con carne

Il y a **de la** viande et **des** oranges.

Il y a **de la** pâte à pizza, **du** jambon, **de** l'ananas, **de la** mozzarella et **du** gruyère.

Il y a **du** sucre, **de la** farine, **des** œufs, **du** citron et **du** beurre.

LE SAIS-TU ?

Au Japon, il existe une autre saveur qui s'appelle *Unami*. Elle signifie «délicieux» en japonais. Son goût est très doux.

LES PARTITIFS

Il y a du sucre.
Il y a de la viande.
Il y a de l'ananas
Il y a des œufs.

⤳ p. 20

D Quelles saveurs sont mélangées dans les plats de l'activité 3C ?

Le canard à l'orange est sucré et salé, parce qu'il y a...

E En groupes, un élève donne la liste des ingrédients d'un plat en introduisant un intrus. Les autres doivent trouver l'intrus.

● *Dans le gâteau aux pommes, il y a de la farine, du gruyère, des pommes...*
○ *Il n'y a pas de gruyère dans le gâteau aux pommes !*

4. LES REPAS DE LA JOURNÉE

 A Lis ce blog et complète le tableau.

www.bien-manger.ma

Les repas au Maroc

Le petit déjeuner
Au Maroc, on prend le petit déjeuner entre 6h30 et 9h, à la maison ou dans les cafés. On mange souvent des msemen avec du miel, c'est comme des crêpes et j'adore ça !

Le déjeuner
L'heure du déjeuner, c'est vers 13h. On mange des salades, mais aussi des plats à base de viande ou de poisson. Ma mère cuisine souvent le zaalouk, c'est une salade avec des aubergines grillées, des tomates, de l'ail et de l'huile d'olive.

Le dîner
Le soir, on mange vers 20h30. Chez moi, nous aimons bien manger de la harira, c'est une soupe à la viande avec de la tomate, des oignons et des légumes secs.

	Horaires	Plats
1. Petit déjeuner		
2. Déjeuner		
3. Dîner		

 B Lis à nouveau le blog, puis réponds aux questions.
1. Comprends-tu le sens de *on* ? Par quoi tu peux le remplacer ?
2. À quelle personne se conjugue le verbe avec le pronom *on* ?

 C À deux, écrivez un commentaire sur le blog de Yassir pour parler des horaires des repas dans votre pays et dire ce que vous aimez manger.

Chez moi, on prend le petit déjeuner vers 7h. Je mange des céréales avec du lait.

MINI-PROJET 2 : MON MENU IDÉAL

1. Tu vas créer le menu idéal pour une journée spéciale. Pense aux plats que tu préfères pour chaque repas.

2. Écris ton menu et illustre-le avec des photos.

3. Chacun présente son menu à ses camarades. Est-ce que vous avez des plats en commun ?

LES REPAS

Le petit déjeuner
Le déjeuner
Le goûter
Le dîner

---> p. 22

LE SAIS-TU ?

En France, on prend le petit déjeuner vers 7h, le déjeuner entre 12h et 13h et le dîner vers 19h30 / 20h. Les enfants prennent souvent un goûter vers 16h30.

ON = LES GENS

*On déjeune vers 13h.=
Les gens déjeunent vers 13h.*

*On mange des salades =
Les gens mangent des salades.*

---> p. 20

★ MON MENU ★
PETIT DÉJEUNER :
....
DÉJEUNER :
....
DÎNER :
....

 ---> **Alternative numérique**
Présenter votre menu sous forme de diaporama.

5. JE PEUX COMMANDER ?

 A Zoé et ses parents vont au restaurant. Écoute et complète la commande.

Piste 2

LE MENU

Entrée
Plat principal
Dessert
Boisson

ASTUCE

Quand tu écoutes un document audio, concentre-toi sur les informations principales.

B Lis ces phrases et dis si elles appartiennent au serveur ou au client.

1. Merci beaucoup, monsieur.

2. Oui, je voudrais la salade niçoise, et comme plat les moules-frites.

3. Et pour vous ?

4. Parfait, et comme dessert ?

5. De l'eau. S'il vous plaît.

6. Vous pouvez m'apportez, l'addition s'il vous plaît ?

7. Bonjour, voici le menu.

8. Vous avez choisi ?

9. Pour moi, comme entrée la salade de tomates, et comme plat le couscous.

10. Deux tartes aux pommes.

11. Qu'est-ce que vous voulez comme boisson ?

12. Oui ! Ça fera 80 euros

LA COMMANDE

Comme entrée, je prends une salade.

Comme plat, je voudrais un couscous et comme dessert, une tarte aux pommes.

Comme boisson, de l'eau

LE SAIS-TU ?

En France, on mange souvent du fromage avant le dessert. Dans les restaurants, on donne parfois le choix entre dessert ou fromage.

Serveur

Client

 C Et dans ton pays, comment est organisé un menu de restaurant ?

6. LA SOIRÉE ENTRE AMIS

A Maxime et ses amis organisent une fête pour le séjour de Yassir en France.
Voici les desserts qu'ils veulent faire. À ton avis, de quoi ont-ils besoin ?

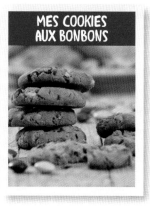

LES QUANTITÉS

Un paquet de chips
Une bouteille de jus
Un kilo de tomates
Un litre de lait
Une boîte d'œufs
Une tablette de chocolat

···⟩ p. 56

200 grammes de farine	1 bouteille de jus d'orange	1 paquet de chips	une boîte d'œufs	1 litre de lait	1 tablette de chocolat	1 kilo de fraises

AVOIR BESOIN DE / D'

J'ai besoin de chocolat.
Nous avons besoin d'un litre de lait.

···⟩ p. 20

Ils ont besoin d'un litre de lait....

B Maxime et ses amies s'organisent pour préparer la fête de
bienvenue de Yassir. Écoute et complète le tableau.

Piste 3

ALLER À / ALLER CHEZ

Je vais à l'épicerie / chez l'épicier
Tu vas à la boulangerie / chez le boulanger
Il va à la librairie / chez le libraire

···⟩ p. 20

	Achète ?	Il / Elle va où ?
1. Maxime		
2. Zoé		
3. Elsa		

C Et toi, qu'est-ce que tu achètes pour une fête d'anniversaire ?
En petits groupes, faites la liste de courses.

MINI-PROJET 3 : BIENVENUE DANS MON RESTAURANT !

1. Vous allez créer un menu et jouer une petite scène entre le serveur
et le client.

2. À deux, pensez au menu que vous allez proposer avec au moins
deux entrées, deux plats et deux desserts.

3. Préparez le dialogue de votre scène et jouez la scène devant la
classe. Pensez à être drôle.

4. Votez pour la scène préférée de la classe.

···⟩ **Alternative numérique**
Préparer le menu de votre restaurant
avec un logiciel en ligne.

A. Exprimer ses goûts

Pour exprimer ses goûts avec une intensité plus ou moins forte, on emploie :

VERBE + NOM	INTENSITÉ POSITIVE	INTENSITÉ NÉGATIVE	VERBE + NOM
Bien aimer	+	-	Ne pas beaucoup aimer
Aimer	++	--	Ne pas aimer
Aimer beaucoup	+++		
Adorer	++++	----	Détester

J'adore les épices, mais je déteste les piments.
Je n'aime pas beaucoup la viande, mais j'aime le poisson !

1. Remplace les symboles par les verbes adéquats pour exprimer les goûts.

a. Je (+) les légumes mais je (--) les betteraves. ⟶ *J'aime bien les légumes, mais je n'aime pas les betteraves.*
b. Mes parents (++++) le poisson, moi je (----) ça ! ⟶
c. Elle (+++) boire du thé à la menthe le matin. ⟶
d. Nous (-) le poulet mariné. ⟶
e. Mon père (--) le fromage français. ⟶
f. Je (----) le lait, mais je (+) le riz au lait. ⟶

B. Les articles partitifs

Les articles partitifs s'emploient pour indiquer une quantité indéfinie. Il précède les noms de choses qu'on ne peut pas compter en unités.

Je voudrais de l'eau.

	MASCULIN	FÉMININ
SINGULIER	du/de l'	de la
PLURIEL	des	

! L'article indéfini pluriel et l'article partitif pluriel ont la même forme : **des**.

En général, les articles partitifs précèdent des noms au singulier. L'article partitif **des** s'emploie uniquement pour les noms au pluriel désignant des choses qu'on ne peut pas compter en unité.

Je mange des épinards.

2. Indique si les mots en gras sont des articles partitifs ou indéfinis.

À midi, j'ai mangé...	Article partitif	Nombre / Article indéfini
une salade		x
de la tarte aux légumes		
du fromage		
des fruits rouges		
une mousse au chocolat		
... et j'ai bu...		
de l'eau		
un jus du fruit		
un café		

C. *Avoir besoin de*

Avoir besoin de + nom permet d'exprimer une nécessité objective ou subjective. Quand le nom qui suit est précédé d'un article partitif (**du, de la, de l', des**), ce dernier s'efface au profit de la préposition **de**.

Il faut du chocolat (article partitif).
   ⟶ *J'ai besoin de chocolat.*

3. À deux, trouvez au moins cinq ingrédients indispensables pour préparer votre plat favori. De quoi avez-vous besoin ?

D. On = les gens

Quand on veut exprimer une manière commune de faire ou de penser, on emploie **on** qui signifie alors « les gens en général ». **On** est toujours en position de sujet et réfère toujours à des personnes. Même si **on** désigne un ensemble de personnes, le verbe qui dépend de **on** se conjugue au singulier.

*Au Maroc, **on** déjeune vers 13 heures.*

4. Dis quelles habitudes sont propres aux habitants de ton pays.

a. L'heure des repas. ⟶ *En France, on dîne vers 20h.*

b. Aller à la plage. ⟶

c. Célébrer la fête nationale. ⟶

d. Les plats pour chaque repas. ⟶

PHONÉTIQUE

5. Indique si tu entends la voyelle [ɑ̃] comme dans *en France* ou [ɔ̃] comme dans *on va*.

Piste 4

	1	2	3	4	5
/ɔ̃/					
/ɑ̃/					

E. Exprimer une quantité

On peut exprimer une quantité avec une unité représentant :

- un nombre : **un, deux…, une douzaine**…
  *Je voudrais **une** salade et **une douzaine** d'œufs.*

- une mesure : **gramme, kilo, litre**
  *Il faut **un litre** de lait et **250 grammes** de farine.*

- un contenant : **boîte, paquet, bouteille**
  *On doit acheter **une boîte** d'œufs, **un paquet** de café et **une bouteille** de jus de fruit.*

- une forme : **tablette, plaquette, tranche**
  *J'ai besoin de **deux tablettes** de chocolat, d'une **plaquette** de beurre et de **six tranches** de pain.*

6. Associe les aliments et la manière d'exprimer leur quantité comme dans l'exemple.

Du lait, une bouteille ⟶ *une bouteille de lait*

1. De l'huile d'olive

2. Des pâtes

3. Des œufs

4. du chocolat

5. De la farine

a. Une boîte

b. 250 grammes

c. Une bouteille

d. Une tablette

e. Un paquet

F. Aller à / Aller chez

Pour indiquer un déplacement vers un endroit désigné par :

- un nom d'établissement, on emploie : **aller à**
  *Je vais **à la** boulangerie.*

- un nom de profession, on emploie : **aller chez**
  *Je vais **chez le** boulanger.*

7. Complète les phrases avec *aller à* ou *aller chez*.

a. On ..... le boulanger.

b. Je ..... le libraire

c. Nous ..... acheter des fruits ..... l'épicerie

d. Tu vas ..... le fleuriste pour le bouquet ?

A. Les aliments

1. Barre l'intrus dans chacune des listes suivantes.

   a. Pommes, bananes, carottes, fraises.

   b. Poulet, viande, fromage, poisson.

   c. Yaourt, fromage, lait, riz.

   d. Eau, jus d'orange, sodas, œufs.

   e. Haricots verts, tomates, courgettes, ananas.

   f. Pain, beurre, riz, pâtes.

B. Les saveurs

2. Classe ces aliments dans le tableau.

> sel   miel   amandes
>
> pamplemousse   citron   piment
>
> sirop d'érable   fromage

SUCRÉ	SALÉ	PIQUANT	ACIDE	AMER

C. Les quantités

3. Corrige les quantités de la liste de courses.

> – Une tablette de chips
> – Un kilo de lait
> – Un litre d'huile d'olive
> – Un paquet d'œufs
> – Une boîte de jus d'orange
> – Une bouteille de chocolat

D. Les plats au restaurant

4. Place les plats au bon endroit.

> tarte au citron   salade de tomates
>
> salade composée   moules-frites
>
> pâtes à la bolognaise   couscous
>
> gâteau au chocolat   chili con carne

   a. Entrée :

   b. Plat :

   c. Dessert :

5. Crée ta carte mentale. Écris les mots que tu veux retenir de cette unité et ajoute des photos et des dessins.

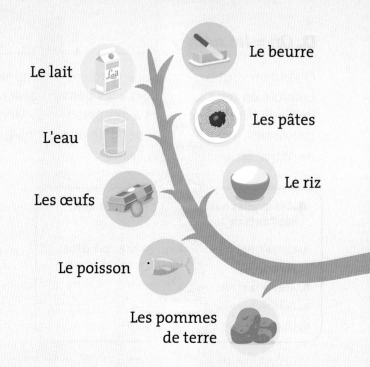

Le lait

Le beurre

L'eau

Les pâtes

Les œufs

Le riz

Le poisson

Les pommes de terre

Les quantités

Un paquet (de /d')

Une boîte (de /d')

Un kilo (de /d')

Un litre (de /d')

Une bouteille (de /d')

Une tablette (de /d')

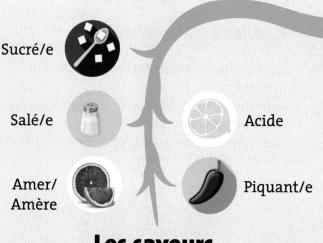

Sucré/e

Salé/e

Acide

Amer/ Amère

Piquant/e

Les saveurs

Les aliments et les boissons

Les oranges

Les courgettes

Les carottes

L'huile d'olive

Le chocolat

Les tomates

Le jus d'orange

Le poulet

Les pommes

La salade

Le yaourt

Les bananes

BON APPÉTIT !

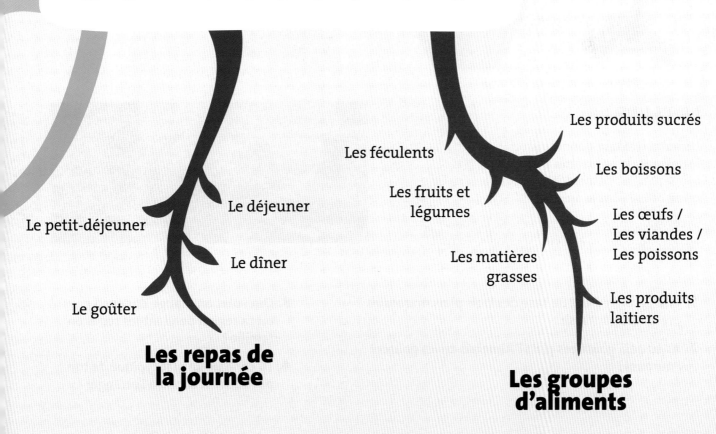

Les produits sucrés

Les féculents

Les boissons

Les fruits et légumes

Les œufs /
Les viandes /
Les poissons

Le petit-déjeuner

Le déjeuner

Les matières grasses

Le dîner

Les produits laitiers

Le goûter

Les repas de la journée

Les groupes d'aliments

LA TANGIA

Le plat typique de Marrakech s'appelle tangia. C'est très facile à préparer, et c'est délicieux ! Il se prépare dans une jarre en terre cuite avec de la viande de veau, de l'huile d'olive, de l'ail et des épices, en particulier du cumin et du safran. Chez moi, on le mange surtout lors des repas de famille avec mes grands-parents et mes cousins.

↑ Un étal d'épices dans un souk

↑ De l'huile d'olive

↑ Du cumin

↑ De la viande de veau

↑ Du safran

↑ De l'ail

↑ Une jarre

LE TAJINE

Un autre plat traditionnel marocain est le tajine. C'est un plat très populaire au Maroc et à l'étranger ! Le mot *tajine* indique le récipient qu'on utilise pour le préparer.

On prépare souvent le tajine avec de la viande ou des légumes (ou les deux), de l'huile d'olive et du cumin.

↑ Des tajines

1. Cite un ingrédient de base des trois plats marocains présentés par Yassir.

2. As-tu déjà goûté ces plats ? Aimerais-tu les goûter ? Pourquoi ?

3. Quel plat on mange dans ton pays ou ta région pendant les repas en famille ?

4. Tu connais un plat typique de ton pays qui est connu à l'étranger ?

Dans ce numéro, Yassir nous parle de la gastronomie marocaine.

LE COUSCOUS

Le couscous est sans aucun doute le plat marocain le plus connu dans le monde entier. C'est de la semoule avec des légumes et de la viande, ou parfois du poisson.

Le couscous est l'un des plats préférés des Français.

↑ Un couscous

LES BAGHRIRS : LES CRÊPES MAROCAINES !

On les appelle les crêpes aux mille trous ! Les ingrédients de base sont : de la semoule, de la farine et de l'eau. On peut les déguster avec du miel, du chocolat ou de la confiture.

↑ Des baghrirs

Journaliste en herbe !

 Fais des recherches sur Internet et présente les plats les plus populaires de ton pays.

QUESTIONNAIRE CULTUREL
Teste tes connaissances !

Le Maroc

→ Qu'est-ce qu'un souk ?
- **a.** Un marché
- **b.** Une librairie
- **c.** Une boulangerie

→ Sur quelle place se trouve le souk de Marrakech ?

→ Quelle est la spécialité culinaire de Marrakech ?
- **a.** La tangia
- **b.** Le thé à la menthe
- **c.** La pizza

→ Quel plat marocain les Français aiment beaucoup ?

Les aliments

→ Quel groupe d'aliments trouve-t-on dans le couscous ?

→ Quelle est la saveur de ces aliments ?

→ Donne le nom de deux aliments que les Français consomment beaucoup.

Les plats

→ Donne le nom des quatre repas de la journée en France.

→ Qu'est-ce que les Français aiment manger entre le plat et le dessert ?

LA JOURNÉE GASTRONOMIQUE FRANCOPHONE

VOUS ALLEZ CRÉER UN MENU POUR LA JOURNÉE GASTRONOMIQUE FRANCOPHONE DU COLLÈGE

1. Formez des groupes et répartissez les repas de la journée : le petit déjeuner, le déjeuner et le goûter.

2. Chaque groupe choisit un pays francophone et fait des recherches pour trouver un plat typique.

3. Sur une affiche, écrivez le nom de votre plat, les ingrédients et une photo du plat.

4. Présentez votre travail à la classe et réalisez tous ensemble le menu de la journée gastronomique francophone.

⋯⋯⟩ **Alternative numérique**
Publier le menu sur le blog de la classe.

Pour le petit déjeuner, on propose des pancakes avec du sirop d'érable. C'est un petit déjeuner typique au Québec.

Menu

PETIT DÉJEUNER
PANCAKES, SIROP D'ÉRABLE
(QUÉBEC)

DÉJEUNER
MOULES-FRITES (BELGIQUE)

GOÛTER :
CRÊPES (FRANCE)

DNL en classe de SVT

Les goûts et les saveurs

A. Lis le texte, puis réponds aux questions.

Qu'est-ce qui donne leur goût aux aliments ?

Tu le sais : le sel est salé, la framboise sucrée, l'endive amère et le citron acide. Ces goûts sont dus à des molécules, des petits éléments qui constituent notre corps et tout ce qui nous entoure. Elles sont dites « sapides » lorsqu'elles produisent une saveur et « odorantes » quand elles diffusent une odeur. Et c'est en les combinant qu'on obtient un goût. Ainsi, les aliments salés contiennent du chlorure de sodium, et les aliments sucrés du saccharose (ou un autre type de sucre). La caféine est la molécule qui donne son amertume au café, et l'acide citrique est responsable de l'acidité du citron. Dans la nature, il y a environ 5 000 molécules sapides et 20 000 molécules odorantes. Elles viennent se fixer sur des mini-récepteurs situés dans ta bouche (sur la langue, mais aussi sur les joues, les gencives ou encore la luette, la petite goutte de chair qui pend au fond de la gorge), qu'on appelle des papilles gustatives. En tout, tu en possèdes environ 10 000 !

Adapté de « *Les molécules du goût* » (Tout Comprendre Junior n°58)

1. Comment s'appellent les molécules qui produisent une saveur ? Et celles qui produisent une odeur ?
2. On obtient le goût en mélangeant... Entoure la bonne réponse.
- Le salé et le sucré.
- La saveur et l'odeur.
- Le salé avec les chlorures de sodium.
3. Que contiennent les aliments salés ? Et les aliments sucrés ?

B. À deux, regardez ce petit déjeuner et associez les ingrédients avec les goûts.

acide

amer

sucré

salé

UNITÉ 2
Mes intérêts

↑ *Madagascar : des jeunes Français font du tourisme solidaire, JT FR2 © INA (2016)*

↑ La Grand-Place, Bruxelles

LEÇON 1

Je parle des études et des projets d'avenir

- Exprimer la nécessité
- Exprimer un souhait
- Le verbe **vouloir**
- Les secteurs professionnels
- Les métiers

LEÇON 2

Je parle des projets solidaires

- Le futur proche
- Les marqueurs temporels du futur
- Les actions solidaires
- Le verbe **aider**

LEÇON 3

Je parle de mes capacités et de mes connaissances

- Les verbes **savoir** et **connaître**
- **apprendre à**
- Les compétences et les connaissances

FENÊTRE SUR

Je découvre la ville de Bruxelles.

Mini-projet 1

Rédiger une fiche d'orientation.

Mini-projet 2

Créer un projet d'été solidaire.

Mini-projet 3

Organiser un forum d'échange des savoirs.

PROJET FINAL

ORGANISER UN FORUM D'ORIENTATION PROFESSIONNELLE

Salut! Je m'appelle Céline et j'habite à Bruxelles, la capitale de la Belgique! Ici, il y a des gens de tous les pays européens qui travaillent dans les institutions de l'UE!

Céline
Salut tout le monde ! Ça va ? Qu'est-ce que vous allez faire cet été ? √ 13:14

Pierre
Moi, je vais sur la côte d'Azur, en France, avec mes grands-parents et mes cousins. √ 13:15

Sacha
La chance ! Moi, je vais rester à Bruxelles... Et toi, Céline ? √ 13:1

Céline
Je ne sais pas... j'aimerais faire quelque chose de différent, d'utile... et rencontrer des personnes différentes ! √ 13:19

Sacha
L'été dernier, ma sœur a fait du bénévolat avec une association, elle a adoré ! Tu veux que je lui demande des infos ? √ 13:20

Céline
Super idée ! Oui, je veux bien ! √ 13:23

En route !

 **1. Associe chaque prénom avec l'image qui correspond à ses projets de vacances.**

 2. Regarde la vidéo, puis réponds aux questions.
a. Où est-ce que ces jeunes se trouvent ?
b. Quel est le but de leur projet ?
c. Dis quels verbes tu entends dans cette vidéo.

travailler   rencontrer   sympathiser

fatiguer   partager   gagner   donner

1. JE VEUX DEVENIR...

 A **Lis ce blog, puis réponds aux questions.**

LE FORUM DES MÉTIERS

Lucas
12:03

Je veux devenir archéologue, quelles sont les études à suivre ?

Pour devenir archéologue, il est nécessaire de faire une licence d'histoire en trois ans, puis un master spécialisé en archéologie en deux ans. En plus, un bon archéologue est passionné d'histoire, aime voyager et n'a pas peur de mettre les mains dans la terre ! *5 ans*

Léa
16:43

J'aimerais travailler dans une langue étrangère, que me conseillez-vous ?

Après le bac, tu peux faire une licence de langues étrangères appliquées pendant trois ans pour vraiment maitriser deux ou trois langues étrangères, puis tu choisis ton master en fonction de ce que tu veux faire : enseignement, traduction, commerce international… avec un bac+5, tu peux travailler comme interprète ou comme traducteur. *3 + 3 + 5*

Nathan
19:03

Je voudrais être coiffeur, comment faire ?

Tu as 2 possibilités : faire un CAP* coiffure après le collège ou faire un bac pro coiffure en deux ans. Avec ces études, tu peux travailler et avoir de l'expérience. Tu vas trouver facilement du travail ensuite. *2   2*

* CAP (certificat d'aptitude professionnelle) : c'est un diplôme professionnel qui s'obtient en deux ans.

1. Combien d'années d'études sont nécessaires pour devenir archéologue ?
2. Qui a le projet d'avenir le moins défini ?
3. Pour quelle profession les études sont-elles les plus courtes ?
4. Lis l'encadré *Le sais-tu ?* et dis si les études pour devenir archéologue correspondent à un bac+2, bac+3 ou bac+5.

 B **Et toi ? Tu sais déjà quelles études tu veux faire ? Discute de ce sujet avec un camarade.**

● Je voudrais faire des études de…
○ Moi je ne sais pas exactement, je veux…

 C **Faites une liste des professions que vous voulez faire, puis faites des recherches pour trouver le parcours d'études nécessaire.**

- Paul : journaliste
- Marie : prof d'EPS
- Brice : webmaster

> Je voudrais devenir journaliste.

> Il faut faire une école de journalisme. C'est un bac+5 !

LE SAIS-TU ?

Le chiffre de +3 et +5 correspond au nombre d'années d'études après le baccalauréat (ou le bac). Une licence dure trois ans, donc bac+3, et un master dure deux ans, donc bac+3+2 = bac+5 !

EXPRIMER LA NÉCESSITÉ

IL FAUT + INFINITIF
Il faut connaître les tendances de la mode.

IL EST NÉCESSAIRE DE + INFINITIF
Il est nécessaire de faire une licence d'histoire.

⇢ **p. 36**

VOULOIR

Je	veux
Tu	veux
Il / Elle / On	veut
Nous	voulons
Vous	voulez
Ils / Elles	veulent

⇢ **p. 36**

EXPRIMER UN SOUHAIT

J'aimerais travailler dans une langue étrangère.
Je voudrais être coiffeur.

⇢ **p. 36**

2. MES PROJETS D'AVENIR

 A **Écoute l'entretien de Céline avec un conseiller d'orientation, puis réponds aux questions suivantes.**

Piste 5

1. Quel est l'objectif de cet entretien ?
2. Quel secteur le conseiller élimine-t-il rapidement ? Pourquoi ?
3. Quelles activités elle aime faire ?

  ‣ lire l'actualité
  ‣ voyager
  ‣ aller au cinéma
  ‣ faire des calculs

  ‣ faire du sport
  ‣ participer à un débat
  ‣ lire un roman
  ‣ faire des expériences scientifiques

LES MÉTIERS

Coiffeur / coiffeuse
Interprète
Traducteur / traductrice
Archéologue
Journaliste
Médecin
Professeur / professeure

⤳ p. 38

 B **À ton avis, quel domaine d'études correspond le plus aux goûts de Céline ?**

informatique

ingénierie

journalisme

médecine

commerce

LES SECTEURS PROFESSIONNELS

Le journalisme
La médecine
L'enseignement
Le commerce
L'informatique
L'ingénierie

⤳ p. 38

 C **Par petits groupes, discutez de l'avenir de Céline. À votre avis, quelle profession pourrait lui convenir ? Explique pourquoi.**

Céline peut devenir journaliste, parce que...

 D **Y a-t-il un conseiller d'orientation dans ton collège ?**

NOM : Gaston
ÂGE : 15 ans
VILLE : Bruxelles

Mes goûts :
la photographie, le sport, les voyages.

Mes matières préférées :
EPS, arts plastiques, anglais.

Les matières que je n'aime pas :
les maths.

MINI-PROJET 1 : **MA FICHE D'ORIENTATION**

1. Rédige une fiche avec tes goûts, les matières que tu préfères et celles que tu n'aimes pas.
2. Par petits groupes, échangez vos fiches, lisez-les et donnez-vous des conseils pour savoir quelles professions pourraient convenir à chacun de vous.

Tu peux être animateur sportif dans un club de vacances !

⤳ **Alternative numérique**
Créer un avatar animé pour présenter ta fiche.

3. JE VAIS FAIRE...

 A **Lucas veut participer à un projet de *Belgique Bénévolat*. Il vient de recevoir cette lettre. Lis-la et replace les titres des paragraphes dans l'ordre.**

| dates | activités | transport |

Cher Lucas,
Bienvenue chez *Belgique Bénévolat* !

Dans 5 jours, tu vas partir pour ton premier projet.
Voici toutes les informations nécessaires pour être prêt.

....

La première semaine, tu vas aider à collecter des dons dans les magasins ou chez des gens.

La deuxième semaine, tu vas être dans le magasin de notre association et tu vas participer au tri des objets donnés (livres, vêtements, meubles) et tu vas aider à mettre les objets en rayon.

L'année prochaine, avec ton expérience, tu vas collaborer sur d'autres projets, comme la distribution de repas ou l'organisation d'événements.

....

Ton séjour va durer deux semaines, du 15 au 26 juillet.

....

Demain, tu vas recevoir ton billet de train.

À très bientôt !

> **LE FUTUR PROCHE**
>
> *Demain, je vais recevoir le billet de train !*
>
> *La semaine prochaine, Lucas va partir en vacances.*
>
> → p. 36

> **LES MARQUEURS TEMPORELS DU FUTUR**
>
> *Demain, tu vas recevoir ton billet de train.*
>
> *L'année prochaine, tu vas collaborer sur d'autres projets.*
>
> *Dans cinq jours, tu vas partir pour ton premier projet.*
>
> → p. 36

 B **Qu'est-ce que Lucas va faire ? Relis la lettre, puis complète ces phrases.**
1. Il va partir ..... *premier projets des jours*
2. Il va collecter ..... *des dons le*
3. Il va participer ..... *au tri des objets donnés*
4. Il va collaborer ..... *sur d'autres projets*

 C **Quand est-ce que Lucas va faire ces activités ? Écris des phrases complètes pour décrire les étapes qu'il va suivre avec *Belgique Bénévolat*.**

Demain, il va recevoir son billet de train.

- a. Recevoir le billet de train
- b. Départ !
- c. Travail (magasin)
- d. Participation à d'autres projets :)

| la semaine prochaine |
| l'année prochaine |
| dans cinq jours   demain |

> **LE SAIS-TU ?**
>
> Entre 14 et 18 millions de Français sont bénévoles.
>
> Entre 15 et 35 ans, 11% sont déjà bénévoles.

 D **Fais des recherches sur Internet et rédige un calendrier des événements pour les bénévoles dans ta ville.**

Samedi prochain, la Croix-Rouge va organiser une collecte de vêtements.

4. MES PROJETS SOLIDAIRES

Il va Participer

Piste 6

A Un journaliste a interviewé des adolescents sur leur projet solidaire.
Écoute le micro-trottoir et dis quelles activités tu entends.

1 une course solidaire

2 un chantier solidaire

3 un chantier archéologique

4 une collecte alimentaire

5 un programme de tutorat

ASTUCE

Quand tu écoutes un document audio, concentre-toi sur ce que tu comprends, note les mots-clés, les idées principales.

LES ACTIONS SOLIDAIRES

Collecter
Distribuer
Récupérer
Collaborer
Accompagner
Participer
S'engager

⟶ p. 38

Piste 6

B Écoute à nouveau le dialogue et complète ce tableau.

	Anne	**Aurélien**	**Eli**
a. Projet	Une collecte alimentaire		
b. Lieu			
c. Quand			

AIDER QUELQU'UN À

Je vais aider les élèves en difficulté à faire leurs devoirs.

⟶ p. 36

C Quel projet préfères-tu ? À deux, discutez-en.

D Pense à ta ville. Dis quel projet solidaire pourrait être utile ?

On pourrait donner des cours de langue aux migrants !

Nom : Plages propres !
Où : à la plage du Midi
Quand : le 1er samedi de mai
But : nettoyer la plage
Bénéfices : une plage plus propre et plus sûre pour tous !
Déroulement : le matin, on va distribuer des sacs en plastique recyclables,...

MINI-PROJET 2 : **MON PROJET D'ÉTÉ SOLIDAIRE**

1. À deux, vous allez créer un projet d'été solidaire pour les ados de votre ville. D'abord, pensez à un projet.

2. Pensez à tous les détails de son déroulement et rédigez une fiche : le nom du projet, le lieu, la durée, le but, les bénéfices qu'il va apporter et les détails du déroulement.

3. Chaque binôme présente son projet devant le reste de la classe.

⟶ **Alternative numérique**
Présenter le projet sous forme d'infographie.

5. QU'EST-CE QUE JE SAIS FAIRE ?

A Lis ce blog, puis associe les compétences de Sophie à ces catégories.

travaux manuels　　langues　　sport　　expression artistique

-☼- JE SAIS, JE CONNAIS, MAIS... ☁ JE NE SAIS PAS...

SOPHIE, Bruxelles

-☼- **JE SAIS...**

☑ ...chanter
☑ ...parler anglais
☑ ...nager

-☼- **JE CONNAIS...**

☑ ...au moins dix chansons par cœur
☑ ...les noms de tous les joueurs de l'équipe de France de foot

☁ **JE NE SAIS PAS...**

☒ ...faire des origamis
☒ ...parler russe
☒ ...tricoter
☒ ...jouer au football
☒ ...danser
☒ ...jouer d'un instrument

B Dans les phrases du blog de l'activité A, il y a deux verbes, *savoir* et *connaître*. Existe-t-il deux verbes correspondants dans ta langue maternelle ? Les utilises-tu exactement de la même façon ?

C Écoute cette interview de trois personnes qui parlent de leur métier, et associe-les avec la connaissance ou la capacité correspondante.

Piste 7

1. Arno
2. Émilie
3. Camille

a. connaître les dernières tendances
b. parler clairement
c. être drôle

> **SAVOIR** ET **CONNAÎTRE**
>
> *CONNAÎTRE* + NOM
> *Je connais dix chansons par cœur.*
>
> *SAVOIR* + INFINITIF
> *Elle sait nager.*
>
> ⤳ **p. 36**

D À deux, dites quelles sont les compétences et les connaissances pour ces métiers. Tu peux ajouter ou inventer d'autres professions.

DJ　　traducteur / traductrice

homme / femme politique　　peintre

danseur / danseuse　　acteur / actrice

Un DJ connaît toutes les chansons du moment.

6. LE TROC DE SERVICES

 A Lis et observe ce document, puis explique avec tes propres mots ce qu'est le troc de services. Donne des exemples. Que penses-tu de ce système d'échanges de services ?

1 HEURE DONNÉE = 1 HEURE À UTILISER
Échanges de savoir, de services et de biens sans argent

Notre richesse, c'est la diversité de nos savoir-faire

 B Lis les profils de ces utilisateurs d'une banque de temps, puis complète les phrases.

NOM :
Gaston
ÂGE :
15 ans
VILLE :
Bruxelles

MESSAGE :

Bonjour ! Je trouve l'idée de ce site génial !

Je sais : dessiner, parler anglais, faire du surf.

Je voudrais apprendre : à jouer d'un instrument de musique (guitare ou piano), à peindre.

NOM :
Alix
ÂGE :
14 ans
VILLE :
Liège

MESSAGE :

Salut ! Je suis passionnée par les travaux manuels, j'adore fabriquer plein de choses !

Je sais : coudre, bricoler, peindre.

Je voudrais apprendre : à fabriquer des bijoux, à parler allemand.

NOM :
Isabelle
ÂGE :
14 ans
VILLE :
Namur

MESSAGE :

J'adore la musique, le sport et les voyages.

Je sais : jouer du piano, parler allemand, danser la salsa.

Je voudrais apprendre : à coudre, à dessiner.

APPRENDRE À

J'apprends à chanter.
Je veux apprendre à danser la salsa.
Je voudrais apprendre à coudre.

1. Gaston peut apprendre à ..... avec ..... et à ..... avec .....
2. Alix peut apprendre à ..... avec .....
3. Isabelle peut apprendre à ..... avec ..... et à ..... avec .....

C Et toi ? Tu échanges tes connaissances ou tes compétences avec quelqu'un ?

J'aide mon frère à faire ses devoirs d'anglais.

Je sais jouer de la guitare
Je sais parler japonais
Je sais danser

MINI-PROJET 3 : LE FORUM D'ÉCHANGES DE SAVOIR

1. Réalise une affiche qui présente tes compétences et tes connaissances sous la forme d'un collage d'images.

2. Collez vos affiches sur les murs de votre classe et mettez-vous d'accord pour échanger vos savoirs avec vos camarades.

···> **Alternative numérique**
Créer l'affiche à l'aide d'un logiciel graphique en ligne.

A. Exprimer la nécessité

Quand la nécessité de faire quelque chose
ne s'applique pas à une personne en particulier,
on emploie :

- **Il faut** + infinitif
  En France, il faut avoir le bac pour aller à l'université.

- **Il est nécessaire de** + infinitif
  *Pour devenir archéologue, il est nécessaire d'avoir
  un bac+5.*

Ces deux expressions se conjuguent seulement à la
troisième personne du singulier.

> **1.** **Remplace les verbes par** *il faut* **ou**
> *il est nécessaire de.*
>
> Pour travailler avec les langues étrangères,
> (faire) ..... une licence de langues
> étrangères appliquées pendant trois ans,
> puis (choisir) ..... votre master en fonction
> de ce que vous voulez faire.
> Pour devenir coiffeur, (faire) ..... un CAP
> coiffure après le collège ou un bac pro
> coiffure en deux ans.

B. Exprimer un souhait

Pour exprimer un souhait,
un désir, on emploie :
Vouloir ou **aimer** au
conditionnel présent + infinitif

VOULOIR	AIMER
Je voudrais	J'aimerais
Tu voudrais	Tu aimerais
Il voudrait	Il aimerait

Je voudrais / j'aimerais faire mes études en France.

> **2.** **Réponds aux questions suivantes.**
>
> **a.** Où tu aimerais vivre ? ⇢ *J'aimerais vivre en Suède.*
> **b.** Quelles études tu voudrais faire ? ⇢
> **c.** Quel pays tu aimerais visiter ? ⇢
> **d.** Quelle activité bénévole tu voudrais faire ? ⇢
> **e.** Quelle langue tu aimerais savoir parler ? ⇢
> **f.** Quel métier tu aimerais faire ? ⇢

C. Le verbe *vouloir*

Pour indiquer une volonté, on utilise le verbe **vouloir**.

C'est un verbe irrégulier. Au présent de l'indicatif,
il a deux bases verbales.

VOULOIR			
JE	veux	NOUS	voulons
TU	veux	VOUS	voulez
IL / ELLE	veut	ILS / ELLES	veulent

> **PHONÉTIQUE**
>
> Piste 8
> **3.** **Écoute et dis si le verbe** *vouloir* **est
> conjugué au singulier ou au pluriel.**
>
> | | 1 | 2 | 3 | 4 | 5 |
> |---|---|---|---|---|---|
> | SINGULIER | | | | | |
> | PLURIEL | x | | | | |

> **4.** **Conjugue le verbe** *vouloir* **à la bonne personne.**
>
> **a.** Marc et Léa ...... étudier à l'étranger.
> **b.** Et toi, tu ......faire quoi plus tard ?
> **c.** Jules ...... prendre ses décisions tout seul.
> **d.** Mon amie et moi, nous ...... faire un CAP coiffure.
> **e.** Je ...... devenir professeur.
> **f.** Zoé et toi, vous ...... faire quelles études ?

D. Le futur proche

Le futur proche est très employé à l'oral pour exprimer une action future.

Il se forme avec le verbe **aller** conjugué au présent de l'indicatif + verbe à l'infinitif.

Demain, je vais passer un test de français.
Après le collège, je vais aller à la bibliothèque.

5. **Transforme les phrases suivantes au futur proche.**

a. Fêter son anniversaire avec ses amis (je) ⟶ *Je vais fêter mon anniversaire avec mes amis.*

b. Participer à un projet humanitaire (nous) ⟶

c. Faire du bénévolat (tu) ⟶

d. Passer un examen (elle) ⟶

e. Devenir pompier (vous) ⟶

E. Les marqueurs temporels du futur

Pour indiquer un moment dans le futur par rapport au moment où on parle, on emploie :

• **prochain(e)** :
La semaine prochaine, je vais passer un examen.

• Jour de la semaine + **prochain** :
Lundi prochain, je vais commencer un stage.

• **Dans** + durée de temps à partir du moment où on parle :
Je vais partir au Canada dans deux jours.

6. **Transforme les expressions de temps soulignées pour exprimer la durée.**

a. Je vais étudier une langue étrangère l'année prochaine.
⟶ *Je vais étudier une langue étrangère dans un an.*

b. Nous sommes le 26 mai. Nous partons aux États-Unis le 26 juin. ⟶

c. Nous sommes jeudi. Tu seras là lundi prochain ? ⟶

d. Nous sommes au mois de mars. Vous allez visiter la France en juillet ? ⟶

e. Nous sommes mardi. Ils vont arriver mardi. ⟶

F. *Aider quelqu'un à*

Quand on aide quelqu'un à réaliser une action, on utilise
aider à + infinitif.
J'aide ma sœur à faire ses devoirs.

7. **Réponds aux questions.**

a. Est-ce que tu aides tes frères et sœurs ? *Oui, j'aide ma sœur à faire ses devoirs.*

b. Est-ce que tu aides tes parents ? ⟶

c. Est-ce que tu aides tes camarades ? ⟶

d. Est-ce que tu aides d'autres personnes ? ⟶

G. Les verbes *savoir* et *connaître*

Pour parler d'un savoir, ou d'une connaissance, on utilise **connaître** + nom.
Je connais bien le français.

Pour parler d'un savoir-faire, ou d'une capacité, on utilise **savoir** + infinitif.
Je sais jouer du violon.

8. **Dis ce que tu sais faire, ce que tu connais ou pas.**

a. Je sais .....

b. Je connais .....

c. Je ne sais pas .....

d. Je ne connais pas ....

les drapeaux de tous les pays européens	dessiner
le français	un poème par cœur	jouer de la guitare
parler russe	danser	jouer au hockey	cuisiner

A. Les études

1. Remets ces différents moments des études dans l'ordre chronologique.

   a. Licence

   b. Collège

   c. Baccalauréat

   d. Master

   e. Lycée

B. Les métiers

2. Dis quels sont les métiers les plus adaptées pour ces profils.

   a. Je connais toutes les dernières tendances des coupes de cheveux.

   b. J'adore l'histoire des civilisations et des monuments.

   c. Ma passion, c'est aider les gens.

   d. J'aime les langues étrangères.

   e. J'aime beaucoup les mathématiques et transmettre mes connaissances.

   f. J'aime beaucoup écrire et m'informer.

C. Les secteurs

3. Associe ces objets à leur secteur professionnel.

D. Les actions solidaires

4. Écris une phrase pour chaque verbe.

Je collabore avec une association de mon quartier pour les enfants en difficulté.

   accompagner   récupérer

   distribuer   collaborer

5. Crée ta carte mentale. Écris les mots que tu veux retenir de cette unité et ajoute des photos et des dessins.

Les métiers

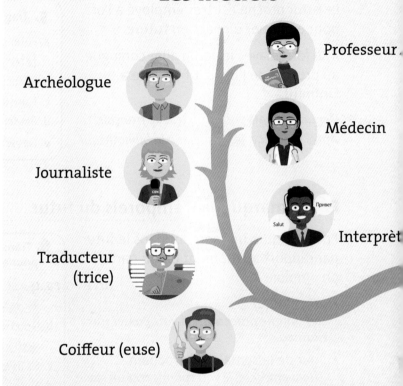

Archéologue

Professeur

Médecin

Journaliste

Interprèt

Traducteur (trice)

Coiffeur (euse)

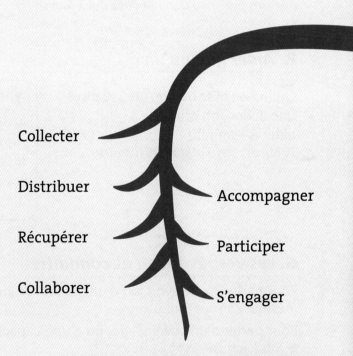

Collecter

Distribuer

Accompagner

Récupérer

Participer

Collaborer

S'engager

Les actions solidaires

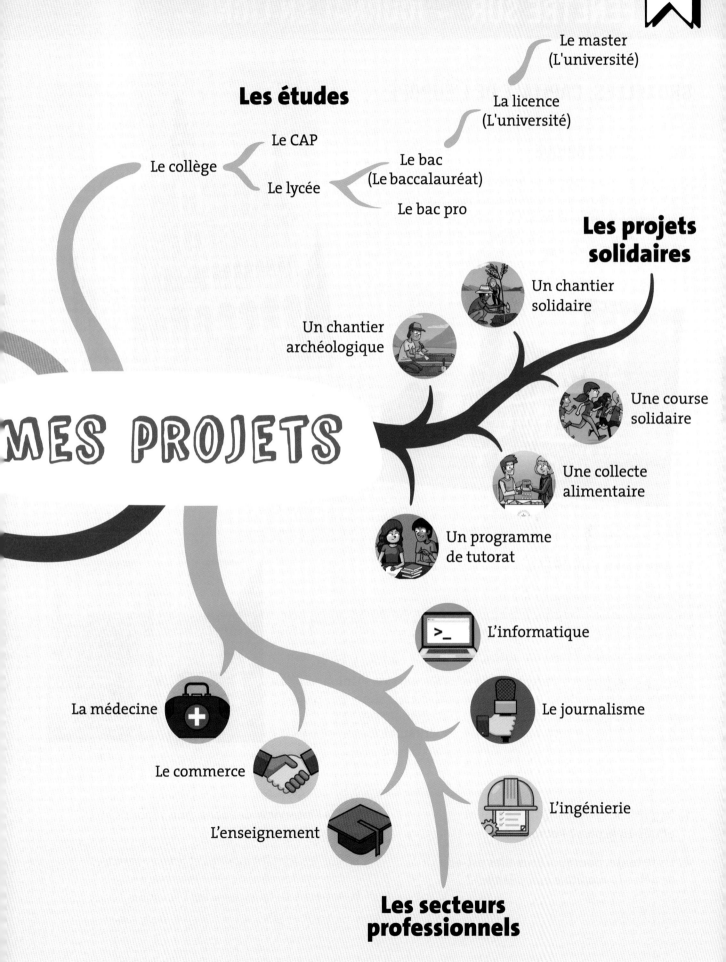

MES PROJETS

Les études

Le collège

Le CAP

Le lycée

Le bac
(Le baccalauréat)

Le bac pro

La licence
(L'université)

Le master
(L'université)

Les projets solidaires

Un chantier solidaire

Un chantier archéologique

Une course solidaire

Une collecte alimentaire

Un programme de tutorat

L'informatique

Le journalisme

La médecine

Le commerce

L'enseignement

L'ingénierie

Les secteurs professionnels

FENÊTRE SUR ~ JOURNAL EN LIGNE ~

BRUXELLES, CAPITALE DE L'EUROPE

UNE VILLE HISTORIQUE

L'endroit le plus connu de Bruxelles est sans doute la Grand-Place, dans le centre historique, commercial et géographique de la ville. Tout autour de la place, on trouve des bâtiments magnifiques comme l'hôtel de ville et la Maison du roi.

↑ La Maison du roi.

↑ L'université libre de Bruxelles.

UNE VILLE ÉTUDIANTE

Bruxelles est la principale ville étudiante en Belgique. Les études les plus reconnues sont les beaux-arts, notamment la BD. C'est une ville cosmopolite et moderne, donc très agréable pour les étudiants.

LE QUARTIER EUROPÉEN

La capitale de la Belgique accueille plusieurs institutions européennes : la Commission européenne, le Parlement européen et le Conseil de l'Union européenne.

Toutes ces institutions sont installées dans le Quartier européen.

Dans ce quartier, des personnes de tous les pays de l'Union européenne travaillent. Beaucoup de professions sont représentées : politicien/ne, assistant/e parlementaire, traducteur(trice), interprète, expert/e, fonctionnaire, etc.

↑ Le Parlement européen.

1. Regarde les photos. Quel bâtiment aimes-tu le plus ? Pourquoi ?

2. Lis le texte, pourquoi Bruxelles est-elle appelée la « *capitale européenne* » ?

3. Lis l'interview de Joana, puis réponds aux questions.

a. Quelles sont les qualités et les compétences nécessaires pour devenir interprète ?

b. Aimerais-tu faire ce métier ? Pourquoi ?

Dans ce numéro, Céline nous parle de la ville de Bruxelles.

JOANA : INTERPRÈTE

Une profession très importante à Bruxelles est celle d'interprète ! J'ai rencontré Joana, interprète à la Commission européenne, et je lui ai posé quelques questions.

Bonjour Joana, est-ce que tu peux te présenter ?

Je m'appelle Joana, j'ai 32 ans, je suis bulgare et j'habite à Bruxelles depuis sept ans.

Combien de langues tu parles ?

Je parle six langues : bulgare, anglais, français, espagnol, russe et portugais !

Tu peux nous parler un peu de ton travail d'interprète ?

En général, je traduis de l'anglais ou du français vers le bulgare. Grâce à mes collègues et moi, les députés et les spécialistes bulgares sont capables de suivre les débats politiques et de participer ! Pendant les débats, nous travaillons dans une petite cabine avec un casque et un micro.

C'est fatigant ?

Oui ! Il faut une excellente capacité de concentration et il faut connaître à la perfection les langues de travail.

←... L'hémicycle du Parlement européen.

Journaliste en herbe !

Présente une profession typique d'une ville ou d'une région de ton choix : quelles sont les qualités nécessaires ? Quel est le parcours à suivre pour y arriver ?

QUESTIONNAIRE CULTUREL
Teste tes connaissances !

Bruxelles

→ De quel pays Bruxelles est-elle la capitale ?

→ Dis quelles institutions européennes se trouvent à Bruxelles.
   a. La Cour de justice de l'Union européenne.
   b. La Commission européenne
   c. Le tribunal international
   d. Le Parlement européen

→ Cite trois lieux célèbres à Bruxelles.

Les études

→ Que signifie bac+3 ?
   a. C'est une note moyenne à un examen de fin d'année.
   b. Trois années d'études après la fin des études secondaires.
   c. C'est le nom d'une université belge.

→ Cite un cursus universitaire renommé à Bruxelles.

Le travail

→ Quelles professions on peut faire au Parlement européen ?
   a. Interprète
   b. Architecte
   c. Assistant/e parlementaire
   d. Professeur/e de langues

Les actions solidaires

→ Associe ces verbes aux définitions.
   a. Distribuer
   b. Collaborer
   c. Accompagner

   1. Donner des choses
   2. Faire quelque chose avec quelqu'un
   3. Travailler avec une ou plusieurs personnes sur un projet

MON PROJET FINAL : **LE FORUM D'ORIENTATION PROFESSIONNELLE DE 2050**

ORGANISER UN FORUM D'ORIENTATION PROFESSIONNELLE DU FUTUR

1. En classe entière, imaginez les dix professions les plus répandues en 2050.
2. Divisez la classe en deux groupes : les conseillers d'orientation et les étudiants chercheurs d'emploi.
3. Les conseillers réfléchissent aux compétences, aux connaissances et au parcours d'études nécessaire pour les professions sélectionnées. Les membres du groupe des étudiants choisissent chacun une profession et prépare trois questions à poser à son conseiller.
4. Procédez à la rencontre des deux groupes sous forme d'entretiens individuels de deux minutes, puis changez d'interlocuteurs.
5. Quand tout le monde a passé son entretien, retournez à votre place et préparez un bilan : pour les conseillers d'orientation, un bilan statistique pour voir quelle va être la profession la plus populaire en 2050 ; pour les étudiants, expliquez en détail le parcours à suivre concernant la profession choisie.
6. Chaque groupe présente son bilan devant la classe.

···> **Alternative numérique**
Créez des capsules vidéo de vos entretiens d'orientation.

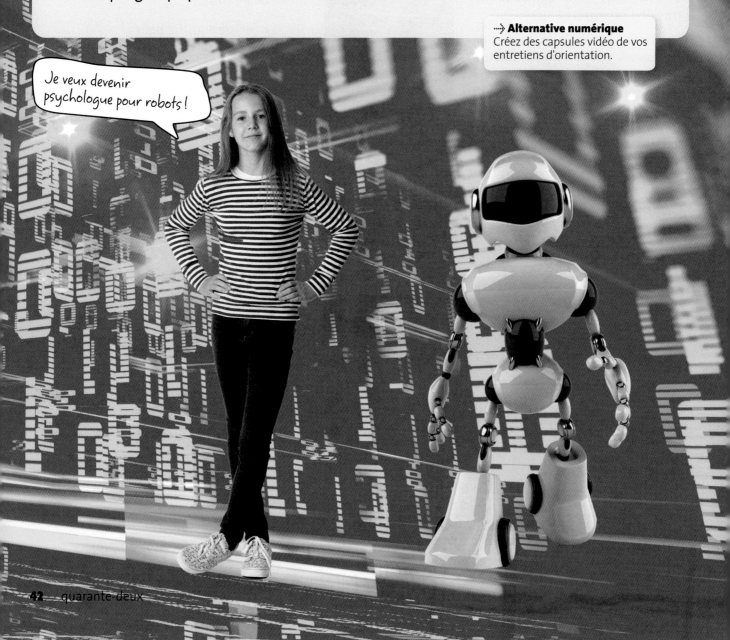

Je veux devenir psychologue pour robots !

DNL en classe d'histoire de l'art

La photographie

2

A. Observe les photos. Est-ce que tu connais ces photos ?

Robert Doisneau

NASA

Brassaï

Inconnu

Vivian Maier

B. Choisis une photo et trouve cinq mots pour la décrire.
   Compare ta liste avec d'autres camarades et faites une liste commune.

C. Invente une légende pour la photo que tu as choisies. Aide-toi de la liste de l'activité B.

Robert Doisneau : À Paris, des enfants jouent devant la tour Eiffel.

D. « À la manière de »
1. En groupe, choisissez une photo de l'activité A.
2. Vous allez reproduire cette photo dans votre environnement.
3. Affichez vos photos et votez pour la photographie : la plus colorée, la plus drôle, la plus sérieuse.

Les escaliers de mon quartier !

UNITÉ 3
Sur la route

↑ Vienne et Prague, TwoFaceLizzie (2016)

↑ La Petite France, Strasbourg

LEÇON 1

Je raconte mes voyages

- Le passé composé avec le verbe **avoir**
- Les activités en voyage

LEÇON 2

Je parle du climat

- La météo
- Les saisons
- Les paysages

LEÇON 3

Je conseille des activités à faire

- Recommander un lieu
- Les prépositions de lieu
- La place des adjectifs qualificatifs

FENÊTRE SUR

Je découvre Strasbourg et l'Alsace.

Mini-projet 1

Présenter une expérience de vacances.

Mini-projet 2

Présenter mon lieu imaginaire.

Mini-projet 3

Préparer un programme de bons plans de ma ville.

PROJET FINAL

MON CARNET DE VOYAGE IMAGINAIRE

Salut! Moi, c'est Chloé, j'ai 13 ans et j'habite à Strasbourg. J'aime voyager et connaître de nouveaux endroits!

Chloé
Salut tout le monde ! Ça y est, je suis à Strasbourg, ma nouvelle ville ! ✓ 18:04

Max
Cool ! Tu aimes la ville ? ✓ 18:08

Chloé
Oui, c'est super ! Il y a beaucoup de choses à faire. Nous avons visité le quartier de la Petite France, dans le centre-ville, et on a goûté le kougelhof dans une super pâtisserie ! ✓18:11

Nico
Mais toi, Chloé, tu aimes la ville maintenant ? Toi qui adores la nature... ✓ 18:14

Chloé
Haha, c'est vrai ! Mais j'habite près du parc de l'Orangerie ! C'est hyper beau et c'est génial pour se promener. ✓ 18:19

En route !

1. Est-ce que Chloé a toujours vécu à Strasbourg ?

2. Associe ces activités avec ces lieux.

dans le centre-ville   dans une pâtisserie

au parc de l'Orangerie

a. Goûter le kougelhof
b. Se promener
c. Visiter la Petite France

3. Regarde la vidéo. Qu'est-ce que la youtubeuse Lizzie a fait à Vienne et à Prague ?

a. Elle a visité le palais impérial de la Hofburg et le Prater.
b. Elle a mangé du poisson.
c. Elle a goûté la meilleure glace de Prague.
d. Elle a fait du canoë.

1. UNE VIE DE VOYAGES !

 A Chloé a un blog où elle parle des pays qu'elle a visités. Lis ses posts, puis associe-les au titre correspondant.

Argentine : novembre 2017   Chine : avril 2016   Été 2014 : au Maroc !

Hier, j'**ai mangé** un couscous, ouah, trop bon !! Après, avec mes parents, on **a fait** une excursion dans le désert. Encore une super journée, j'**ai adoré** !

Canton est vraiment très différent de tout ce que je connais. Cette ville est extraordinaire ! Hier, j'**ai assisté** à un spectacle du cirque de Chimelong, c'est merveilleux.

Hier soir, nous **avons mangé** des *empanadas*, c'était trop bon... Aujourd'hui, j'**ai fait** du cheval dans la pampa et j'**ai vu** des paysages merveilleux !

 B Relis les extraits du blog de Chloé, puis réponds aux questions suivantes.

    a. Quels plats a-t-elle goûté au Maroc et en Argentine ?
    b. Qu'est-ce qu'elle a fait en Argentine ?
    c. À quel événement a-t-elle assisté à Canton ?

 C Dans l'activité A, il y a un nouveau temps marqué en gras : le passé composé. Observe-le : de quels éléments se compose-t-il ?

 D Retrouve dans les extraits du blog de Chloé les participes passés des verbes suivants.

    a. faire : .....
    b. manger : .....
    c. voir : .....
    d. assister : .....
    e. adorer : .....

 E Pense aux dernières vacances que tu as faites, puis complète les phrases suivantes.

    a. J'ai fait .....
    b. J'ai visité .....
    c. J'ai vu .....
    d. J'ai mangé .....
    e. J'ai adoré .....

Au Japon, j'ai mangé du sushi et j'ai visité un temple.

LE PASSÉ COMPOSÉ AVEC LE VERBE *AVOIR*

On utilise ce temps pour parler au passé. On le forme avec l'auxiliaire *avoir* au présent suivi du participe passé du verbe.

J'ai	*mangé*
Tu as	*adoré*
Il a	*visité*
Nous avons	*vu*
Vous avez	*fait*
Ils ont	*assisté*

⟶ p. 52

2. ON A FAIT TOUT ÇA !

A Observe ces deux annonces. Quelles activités tu penses qu'on peut faire dans ces deux pays en décembre ?

visiter une pagode faire du chien de traîneau aller à la plage

pêcher du saumon visiter un fjord faire du snorkeling

Visitez le Viêt Nam
du 24 au 30 décembre 2019
Un véritable paradis !

Bienvenue au Canada !
du 28 décembre 2019 au 3 janvier 2020
Le pays de la grandeur...

LES ACTIVITÉS EN VOYAGE

Visiter un endroit / un musée

Faire du snorkeling / du chien de traîneau / du cheval / du ski

Aller à la plage / à la mer

Goûter une spécialité / un plat

Pêcher du saumon / du thon

⋯⟩ p. 54

B Écoute Mathilde qui regarde avec sa mère ces deux options de voyage sur le site web de l'agence. Où voudraient-elles aller ?

Piste 9

C Et toi ? Dans lequel de ces deux pays aimerais-tu aller ? Pourquoi ?

Moi, j'aimerais aller au Canada, parce que j'aimerais bien visiter un fjord.

D Imagine que tu as visité une de ces villes, fais des recherches et dis ce que tu as fait. Ton camarade doit deviner la ville.

Rome Tokyo Rio de Janeiro New York

- J'ai mangé une pizza et j'ai visité le Colisée.
- C'est Rome, en Italie !

MINI-PROJET 1 : **NOS EXPÉRIENCES**

1. Vous allez inventer une expérience de vacances et créer une affiche pour la présenter. D'abord, individuellement, pensez à un voyage amusant que vous aimeriez partager.

2. Choisissez une photo pour illustrer votre expérience et écrivez un commentaire pour la décrire.

3. Collez votre photo sur une affiche, et lisez les expériences de vos camarades : lesquelles tu aimerais faire ? Quelles sont les plus originales ?

J'ai mangé des sauterelles au Mexique !

⋯⟩ **Alternative numérique**
Affichez vos photos commentées sur un mur virtuel, comme *Padlet*.

3. IL FAIT FROID À STRASBOURG !

 A Observe la météo et dis quel temps et quelle température il fait dans la ville des reporters.

MERCREDI, 15 JANVIER					
Lille	Marrakech	Marseille	Bruxelles	Strasbourg	Abidjan
4°C	21°C	10°C	7°C	18°C	33°C

À Lille, il neige et il fait 4 degrés.

 B Regarde à nouveau la météo et dis quelles activités les reporters peuvent faire et ne peuvent pas faire.

faire de la planche à voile   faire une randonnée   bronzer

faire un pique-nique   skier   faire du skate   faire du vélo

Yassir peut faire un pique-nique, parce qu'il fait beau.

 C Écoute Chloé qui parle avec ses copains, puis associe les adolescents avec le temps qu'ils préfèrent.

Piste 10

a. Chloé
b. Mélissa
c. Paul

 ❶ ❷ ❸

 D Quel temps il fait dans ta ville pendant les différentes saisons ? Complète ces phrases.

a. En hiver, ...
b. Au printemps, ...
c. En été, ...
d. En automne, ...

À Athènes, en été, il fait très chaud et il ne pleut pas.

 E Quel temps il a fait la semaine dernière dans le monde ? Fais des recherches, puis présente-le.

Au Canada, c'est l'hiver. Lundi, il a neigé et il a fait 5 degrés.

LA MÉTÉO

Le froid
Il fait froid

La chaleur
Il fait chaud
Il fait 30°C
(20 degrés)

La neige
Il neige

Le vent
Il y a du vent

Le soleil
Il fait beau
Il y a du soleil

Les nuages
C'est nuageux

La pluie
Il pleut

⇢ p. 52

LES QUATRE SAISONS

L'hiver
⇢ *En hiver*

Le printemps
⇢ *Au printemps*

L'été
⇢ *En été*

L'automne
⇢ *En automne*

⇢ p. 54

4. MA DESTINATION IDÉALE

A Voici un test pour trouver une destination adaptée à ses goûts. Fais le test et découvre quel est ton pays favori.

a

Ton paysage préféré :

a. Les rivières, les lacs, la forêt sous la neige.
b. La montagne, bien sûr !
c. La ville, l'architecture, les musées.
d. Les îles avec des plages de sable blanc et la mer bleue !

b

Tes plats préférés :

a. Le poisson.
b. Le fromage et la viande.
c. La cuisine fusion.
d. Des fruits exotiques !

c

La météo idéale pour toi :

a. Tu aimes quand il fait froid.
b. Tu aimes la neige et tu détestes la pluie.
c. Tu aimes les climats tempérés (pas trop chaud, pas trop froid).
d. Il fait chaud, il y a du soleil... Le bonheur !

d

Qu'est-ce que tu aimes faire pendant tes vacances ?

a. Te promener dans la forêt.
b. Faire une randonnée à la montagne et dormir sous la tente.
c. Visiter des monuments et des musées.
d. Te baigner et bronzer.

Résultats :
- Tu as une majorité de **a** : ta destination idéale est le Québec : le Grand Nord canadien et sa nature, c'est pour toi.
- Tu as une majorité de **b** : ta destination idéale est la Suisse romande : tu aimes la montagne et le calme.
- Tu as une majorité de **c** : ta destination idéale est Paris : pour toi, la culture et l'art, c'est essentiel !
- Tu as une majorité de **d** : ta destination idéale est la Nouvelle-Calédonie : tu aimes la mer et la chaleur.

B Es-tu d'accord avec les résultats du test ? Selon toi, quel est ton pays idéal ?

MINI-PROJET 2 : **MON PAYS IMAGINAIRE**

1. À partir de deux pays réels, tu vas inventer et présenter un pays imaginaire qui représente tes goûts et tes intérêts. D'abord, fais une liste des caractéristiques que ce pays doit avoir.

2. Sur la base de ces caractéristiques, invente un nom composé pour ton pays à partir du nom des deux pays réels.

3. Prépare une affiche pour présenter ton pays à tes camarades : décris son paysage, parle de son climat et explique pourquoi tu l'as choisi.

LES PAYSAGES

Un fleuve
Un lac
La mer
Une forêt
La montagne
Une île
La côte
Une plage

⋯▷ p. 54

ASTUCE

En français, les pays qui se terminent par la lettre *e* sont tous féminins, sauf : le Mexique, Le Cambodge, le Zimbabwe, le Mozambique et le Belize.

LA MEXIVÈGE

Il y a des fjords et des montagnes comme en Norvège.

Il fait chaud comme dans le sud du Mexique.

⋯▷ **Alternative numérique**
Crée un diaporama à l'aide d'un logiciel gratuit en ligne.

5. LE MIEUX, C'EST...

 A Observe cette brochure et dis quelle activité attire le plus ton attention.

LES BONS PLANS DU WEEK-END À STRASBOURG

Natation

Au centre nautique de Schiltigheim : découvrez notre piscine olympique complètement rénovée !

La Fabrique à bretzels

Venez découvrir tous les secrets de la mythique bretzel alsacienne et ses légendes !

Festival Animastar

Au programme du Festival du cinéma d'animation : films, stages, ateliers et animations pour les plus jeunes !

Les Secrets du sablier

Le dernier escape game strasbourgeois !! Formez une équipe de 2 à 6 personnes et trouvez la sortie de la pyramide de Khéops !

Moi, j'aimerais aller au centre nautique, parce que je fais de la natation.

 B Écoute cette interview d'une employée de l'office de tourisme de Strasbourg, puis complète ces phrases avec le lieu correspondant.

Piste 11

> la patinoire Iceberg   le parc de l'Orangerie   la Petite France

a. Si tu aimes la nature, le mieux, c'est d'aller .....
b. Pour visiter un quartier historique, le plus sympa, c'est d'aller .....
c. Si tu aimes le sport, l'idéal, c'est d'aller .....

 C Où peut-on faire ces activités dans ta ville ou région ?

> faire un escape game   faire du ski   faire du skate
>
> faire un pique-nique   faire du vélo   se baigner
>
> visiter un musée   apprendre une langue   danser

À Marseille, on peut se baigner à la plage de la Pointe-Rouge.

RECOMMANDER UN LIEU

LE MIEUX, C'EST DE...
Le mieux, c'est de faire une promenade au parc de l'Orangerie.

LE PLUS..., C'EST DE...
Le plus sympa, c'est d'aller au zoo.

L'IDÉAL, C'EST DE...
L'idéal, c'est d'aller à la Petite France.

⇢ p. 52

D Et toi ? Pense à une activité que tu aimes faire et dis où et quand tu conseilles de la pratiquer.

Moi, j'aime faire du ski. Pour moi, l'idéal, c'est d'aller à Val Thorens au mois de janvier.

ASTUCE

Quand tu parles ou quand tu écris en français, privilégie des phrases courtes, mais bien construites.

6. J'ADORE CET ENDROIT

A Lis le texte de ce blog et retrouve sur la carte les endroits évoqués.

la mosquée   la plage   la Vallée des Oiseaux   le souk El Had

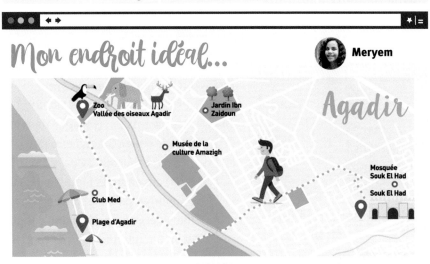

Mon endroit idéal...   Meryem

Agadir

Zoo Vallée des oiseaux Agadir   Jardin Ibn Zaidoun

Musée de la culture Amazigh

Club Med

Mosquée Souk El Had
Souk El Had

Plage d'Agadir

Salut les amis ! Aujourd'hui, je vais partager avec vous quelques conseils si vous voulez visiter ma ville, Agadir !

- Quand il ne fait pas trop chaud, le mieux, c'est d'aller se promener dans le **grand** souk El Had, à côté de la mosquée. Il y a des épices **parfumées**, des tissus **colorés**... et c'est super pour découvrir toutes les spécialités de la ville !

- Si vous aimez la nature et les animaux, le plus sympa c'est d'aller à la Vallée des oiseaux : c'est un **petit** zoo derrière la plage, avec de **beaux** oiseaux et des plantes **exotiques**.

- Quand il fait chaud, le mieux, c'est d'aller sur la **grande** plage d'Agadir, en face de la Vallée des oiseaux, ou bien boire un thé à la menthe sous les arcades du souk.

PRÉPOSITIONS DE LIEU

Dans le souk
À côté de la mosquée
En face du zoo
Derrière la plage ≠ Devant la plage
Sur la plage ≠ Sous les arcades

···> p. 52

LA PLACE DES ADJECTIFS

Des plantes exotiques
Des tissus colorés

❶ *Le grand souk*
De beaux oiseaux
Un petit zoo

···> p. 52

B Observe les adjectifs en gras dans le blog de l'activité A. Que remarques-tu ? Où ils sont placés ?

C Pense à un monument, décris-le et dis où il se trouve. Ton camarade doit deviner le nom de ce monument.

- C'est une grande statue en face de Manhattan.
- C'est la statue de la Liberté !

Quand il fait froid, le mieux, c'est de visiter le musée Picasso...

MINI-PROJET 3 : DE BONS PLANS POUR MA VILLE

1. En groupes, vous allez donner de bons plans dans votre ville, à la manière de Meryem. D'abord, listez quatre activités intéressantes à faire dans votre ville.

2. Sur une carte, indiquez les lieux où se déroulent ces activités.

3. À l'aide de la carte, chaque groupe présente ses bons plans aux autres groupes qui peuvent poser des questions.

···> **Alternative numérique**
Postez vos bons plans sur un blog.

A. Le passé composé avec le verbe *avoir*

On utilise le passé composé pour raconter un fait passé par rapport au moment où on parle.

Le passé composé est formé de deux éléments : **avoir** conjugué au présent + participe passé du verbe conjugué.

	AVOIR	MANGER
J'	ai	mangé
TU	as	mangé
IL / ELLE / ON	a	mangé
NOUS	avons	mangé
VOUS	avez	mangé
ILS / ELLES	ont	mangé

Le participe passé des verbes dépend de leur groupe :

- Verbes en **–er** ⇢ participe passé en **–é**
  Passer ⇢ *J'ai passé.*

- Verbes en **–ir** ⇢ participe passé en **–i**
  Finir ⇢ *J'ai fini.*

  ❗ *Courir* ⇢ *Il a couru.*
  Venir ⇢ *Je suis venu.*

- Verbes en **–oir** et **–re** ⇢ participe passé en **–u**
  Voir ⇢ *Nous avons vu.*
  Vendre ⇢ *Vous avez vendu.*

- Certains verbes font leur participe passé en **–s** ou en **–t** :
  Dire ⇢ *dit*   *Mettre* ⇢ *mis*   *Faire* ⇢ *fait*
  Prendre ⇢ *pris*   *Écrire* ⇢ *écrit*

❗ *Avoir* ⇢ *eu*
Être ⇢ *été*

J'ai eu de la chance.
J'ai été en Grèce.

1. Conjugue les verbes entre parenthèses au passé composé.

Mes parents ..... (voyager) dans le monde entier. Grâce à eux, je ..... (visiter) beaucoup de pays. On ..... (voir) des endroits fantastiques ! On ..... (rapporter) plein de souvenirs : on ..... (dessiner), on ..... (prendre) des photos et on ..... (goûter) plein de spécialités !

PHONÉTIQUE

Piste 12

2. Écoute et dis si les actions énoncées sont réalisées aujourd'hui (au présent) ou hier (au passé).

	Aujourd'hui	Hier
1		x
2		
3		
4		
5		

B. La météo

Pour dire le temps qu'il fait, on emploie des verbes qui se conjuguent uniquement à la troisième personne du singulier (**il**).

Neiger ⇢ Il neige. *Pleuvoir* ⇢ Il pleut. *Geler* ⇢ Il gèle.

Faire ⇢ **Il fait** froid.

Il fait chaud.   *Il fait beau.*
Il fait mauvais.   *Il fait humide.*

On emploie aussi **faire** pour exprimer la température.

Aujourd'hui, il fait chaud, il fait 32 degrés.

3. Devine quel temps il fait à partir des phrases suivantes.

- **a.** Dehors tout est blanc. ⇢ *Il neige !*
- **b.** Prends ton parapluie. ⇢
- **c.** Attention à ne pas glisser ! ⇢
- **d.** Je sors en T-shirt. ⇢
- **e.** Mets bien ton écharpe et ton bonnet. ⇢

C. Prépositions de lieu

Pour situer dans l'espace, on emploie les mots invariables suivants.

dans   derrière   devant   sur   sous

Mon restaurant préféré est dans le centre-ville.

> **4.** À deux, choisissez un objet dans la classe, décrivez-le et indiquez à vos camarades où il se trouve en utilisant *dans, devant, derrière, sur* et *sous*.
>
> • *C'est grand, il y a tous les pays du monde, c'est sur le mur.*
> ○ *C'est la carte du monde !*

D. Recommander un lieu

Quand on donne des recommandations, on peut :

Rester neutre	**Conseiller à** quelqu'un **de / d'** + verbe *Elle conseille aux gourmands d'aller à la pâtisserie.*
Recommander	**Le plus** + adjectif, **c'est de / d'** + verbe *Le plus sympa, c'est de dormir dans les arbres.* ⚠ Le plus bien (forme incorrecte) ⟶ le mieux ⚠ Le plus bon (forme incorrecte) ⟶ le meilleur *Le mieux, c'est de visiter le souk quand il ne fait pas trop chaud.*
Recommander chaudement	**L'idéal, c'est de / d'** + verbe *L'idéal, c'est de rester une semaine sur place.*

> **5.** À partir des situations suivantes, formule plusieurs conseils en variant les structures utilisées.
>
> **a.** Visiter les îles Canaries (sympa)
> ⟶ *Le plus sympa, c'est de visiter les îles Canaries.*
>
> **b.** Boire un chocolat au café Angelina (bon) ⟶
>
> **c.** Faire du saut à l'élastique (excitant) ⟶
>
> **d.** Aller à la plage (agréable) ⟶
>
> **e.** Faire une promenade dans la vieille ville (beau) ⟶
>
> **f.** Partir une semaine (idéal) ⟶

E. La place des adjectifs qualificatifs

Les adjectifs qualificatifs se placent en général après le nom qu'ils caractérisent.
J'ai fait un voyage agréable.

Certains adjectifs qualificatifs ont une place fixe :

• Les adjectifs qualificatifs qui indiquent une couleur ou une forme se placent toujours après le nom.
J'ai acheté un pull bleu. Je préfère les lunettes rondes.

• Les adjectifs suivants se placent toujours avant le nom : **beau, bon, grand, gros, haut, joli, long, petit, vieux, vilain.**
Sauf quand ils sont coordonnés.
C'est un endroit beau et calme.

> **6.** Barre les adjectifs qui ne sont pas à la bonne place.
>
> **a.** J'adore les (~~calmes~~) endroits (calmes).
> **b.** J'ai pris de (belles) photos (belles) en Norvège.
> **c.** Samedi dernier, on a mangé dans un (petit) restaurant (petit).
> **d.** L'année dernière, mes parents ont fait un (beau) voyage (beau).
> **e.** Le saumon est un (gras et rose) poisson (gras et rose).
> **f.** Les (gris) nuages (gris) et le (glacial) vent (glacial) annoncent l'hiver.

A. Les activités en vacances

1. Dis quelles activités les personnes suivantes aiment faire quand elles vont en vacances.

a. Samia aime beaucoup manger. Quand elle voyage, elle aime .....

b. Théo aime l'art et la sculpture. En vacances, il aime .....

c. Kevin adore se baigner et faire du snorkeling. En vacances, il aime .....

d. Prisca aime beaucoup la neige. En vacances, elle aime .....

e. Éléonore aime se reposer à la plage.
En vacances, elle aime .....

2. Imagine une liste d'activités que tu aimerais faire dans un voyage, puis dis dans quel pays tu aimerais les faire.

J'aimerais faire du surf au Costa Rica.

B. La météo et le climat

3. Observe les dessins ci-dessous et dis quel temps il fait.

4. Quel est le temps le plus approprié pour faire ces activités ?

a. Je peux jouer au cerf-volant quand .....
b. Je peux bronzer sur la plage quand .....
c. Je mets un bonnet, un manteau et des gants quand .....
d. J'ouvre mon parapluie dans la rue quand .....

C. La nature et les paysages

5. Associe les activités avec les lieux.

jouer au beach-volley

faire du rafting   faire du snorkeling

faire une bataille de boules de neige

a. à la mer
b. à la montagne
c. sur la plage
d. dans une rivière

6. Crée ta carte mentale. Écris les mots que tu veux retenir de cette unité et ajoute des photos et des dessins.

La nature et les paysages

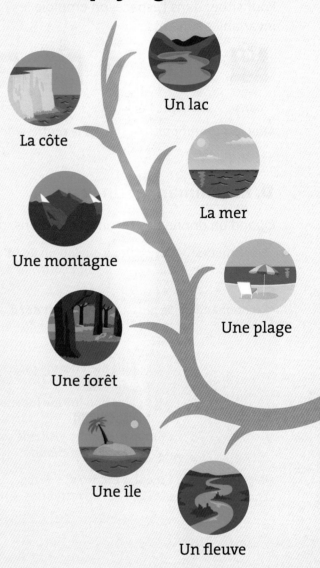

La côte

Un lac

La mer

Une montagne

Une plage

Une forêt

Une île

Un fleuve

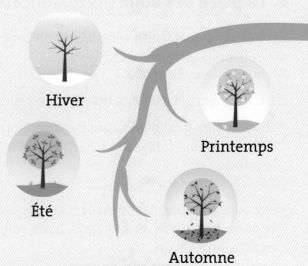

Hiver

Printemps

Été

Automne

Les saisons

La météo et le climat

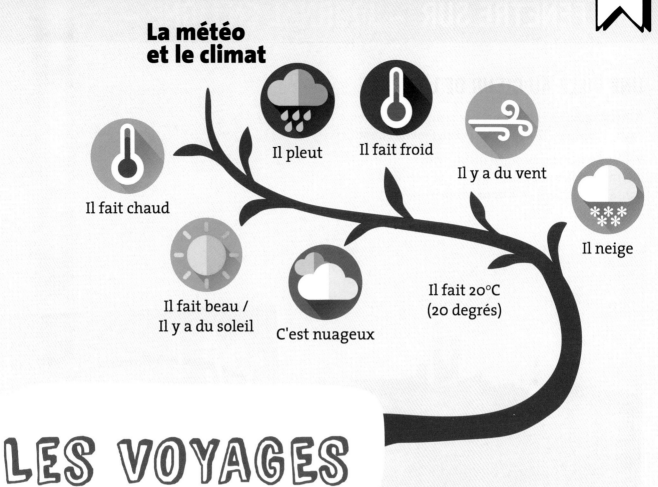

Il pleut

Il fait froid

Il y a du vent

Il fait chaud

Il neige

Il fait beau /
Il y a du soleil

C'est nuageux

Il fait 20°C
(20 degrés)

LES VOYAGES

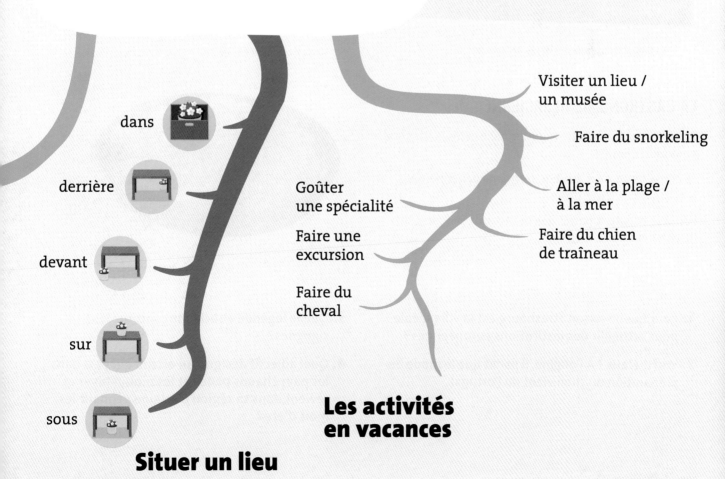

dans

derrière

devant

sur

sous

Visiter un lieu /
un musée

Faire du snorkeling

Goûter
une spécialité

Aller à la plage /
à la mer

Faire une
excursion

Faire du chien
de traîneau

Faire du
cheval

Les activités en vacances

Situer un lieu

FENÊTRE SUR ~ JOURNAL EN LIGNE ~

UNE VILLE AU CŒUR DE L'EUROPE

À Strasbourg, on est tout près de beaucoup d'autres pays européens : l'Allemagne, la Belgique, la Suisse...

Voilà pourquoi beaucoup d'institutions internationales ont leur siège ici : par exemple, le Conseil de l'Europe et la Cour européenne des droits de l'homme.

↑ La Cour européenne des droits de l'homme.

↑ Le Parlement européen.

LA GASTRONOMIE ALSACIENNE

Si vous aimez la cuisine traditionnelle et les goûts forts, vous allez adorer !

La choucroute, c'est du chou fermenté généralement accompagné de garniture.

Pour l'anecdote, il paraît que ce mode de préparation du chou vient de... Chine !

↑ Une choucroute alsacienne.

1. Pour quelle raison Strasbourg est la ville idéale pour accueillir des institutions européennes ?

2. Vrai ou faux ? À l'origine, il paraît que le mode de préparation du chou vient du Portugal.

3. Quelle légende alsacienne concerne les cigognes ?

4. Quel adjectif désigne un oiseau qui part dans les pays chauds pendant les mois d'hiver et revient dans sa région d'origine pendant les mois d'été ?

Dans ce numéro, Chloé nous parle de sa nouvelle ville, Strasbourg, et de sa région, l'Alsace.

LES CIGOGNES

La cigogne, c'est un grand oiseau blanc et noir. En Alsace, il est super important, c'est même un symbole de la région !

La cigogne est un oiseau migrateur, c'est-à-dire que l'hiver il part en Afrique pour avoir chaud, et il revient en France en été... haha, il a tout compris cet oiseau !

⭠ La migration des cigognes.

Il existe une légende ici en Alsace : on dit que la cigogne apporte les bébés aux parents.
C'est très mignon :)

Journaliste en herbe !

Fais des recherches sur Internet, puis présente les symboles de ta ville ou de ta région.

QUESTIONNAIRE CULTUREL
Teste tes connaissances ! ??

L'Alsace et Strasbourg

→ Où se trouve la ville de Strasbourg, en France ?

→ Selon la légende, quel animal apporte les bébés aux couples ?
  a. L'ours
  b. La cigogne
  c. Le chat

→ Comment s'appelle le quartier historique du vieux Strasbourg ?
  a. Iceberg
  b. La Petite France
  c. L'Orangerie

→ Cite un lieu à Strasbourg où on peut être dans la nature et voir des animaux.

Les saisons

→ À quelle saison correspondent ces images ?

Les voyages

→ Quel est le plat traditionnel en Argentine ?
  a. La paella
  b. Le kebab
  c. Les empanadas
  d. La pizza

MON PROJET FINAL: **MON VOYAGE IMAGINAIRE**

VOUS ALLEZ CRÉER LE CARNET D'UN VOYAGE IMAGINAIRE

1. En groupes, imaginez que vous avez fait un voyage d'un week-end ensemble. Choisissez un pays, une région ou une ville et décidez d'un itinéraire de trois ou quatre étapes.

2. Rédigez de petits textes pour décrire les lieux que vous avez vus et pour raconter ce que vous avez fait dans chaque étape.

3. Cherchez des photos de ces lieux pour illustrer votre carnet.

4. Chaque groupe va raconter son voyage.

5. Votez pour le carnet le plus exotique, le plus fatigant, le plus amusant et le plus calme.

> ····⟩ **Alternative numérique**
> Créer le carnet de voyage en ligne à l'aide d'un logiciel gratuit comme *Canva*.

Nous avons fait le tour du Pays basque ! Nous avons visité la côte et Saint-Sébastien...

À Saint-Sébastien, nous avons mangé des chipirons !

La côte basque est très belle ! Nous avons visité des petits ports de pêche.

On a fait une randonnée dans le parc d'Urdaibai, réserve de biosphère reconnue par l'UNESCO.

DNL En classe de géographie

Les paysages du monde

A. Associe les noms des paysages avec les photos.

volcan   lac   fleuve   désert   chaîne de montagnes   île

B. Complète les phrases avec les noms des paysages de l'activité A. Fais des recherches sur Internet si besoin.

1. Les Alpes sont .....
2. Ontario est le nom d'un .....
3. Le Sahara est .....

4. Le piton de la Fournaise est .....
5. La Nouvelle-Zélande est .....
6. Mékong est le nom .....

C. À ton avis, où se trouvent ces paysages ? Complète la carte.

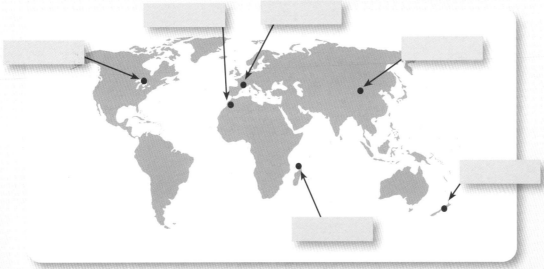

D. Choisis une photo d'un paysage que tu aimes et fais-le découvrir à ton camarade.

UNITÉ 4
Recyclons !

Mali : une solution innovante pour les pneus usés, Medi1TV (2017)

Vue de la ville d'Abidjan

LEÇON 1

Je parle du tri des différents matériaux

- Les matériaux
- Les actions du recyclage
- Le verbe **jeter**
- L'énergie propre et les éléments naturels

Mini-projet 1

Créer un véhicule propre.

LEÇON 2

Je parle d'objets créés à partir d'autres objets

- La récup'
- Les travaux manuels
- Les interrogatifs
- Les connecteurs

Mini-projet 2

Créer un tutoriel.

LEÇON 3

Je parle du recyclage des vêtements

- Le recyclage
- Les pronoms COD
- Les matières et les styles des vêtements
- Le verbe **vendre**
- Les démonstratifs

Mini-projet 3

Faire le relooking d'une célébrité ou d'un personnage de fiction.

FENÊTRE SUR

Je découvre les tissus et les vêtements typiques ivoiriens.

PROJET FINAL

RENDRE NOTRE ÉCOLE PLUS ÉCOLOGIQUE

Salut, je m'appelle Moussa et j'habite à Abidjan, la capitale économique de la Côte d'Ivoire! J'adore la nature et surtout l'océan. Dans cette unité, nous allons découvrir des astuces créatives pour limiter la pollution.

Moussa
Salut les amis ! Samedi prochain, c'est la journée de nettoyage des plages et les organisateurs cherchent des volontaires ! Ça vous intéresse ?   √ 18:19

Fatou
Quelle horreur ! ● Tu as raison, il faut faire quelque chose. OK pour moi !   √ 18:22

Ismaël
Mmm... C'est fatigant, non ? ●   √ 18:25

Moussa
C'est vrai que c'est dur, mais à la fin il y a un concert gratuit de Magic System !! ●   √ 18:31

Ismaël
OK ! Je viens, moi aussi !   √ 18:37

En route !

1. Place ces émoticônes dans la conversation.

2. De quel problème parlent Moussa et ses amis ?

3. Tu aimerais participer à la journée de nettoyage des plages ?

 4. Regarde la vidéo. Qu'est-ce que Abdoulaye a décidé de faire avec des pneus usés ?

- des vêtements
- des meubles
- des chaussures

 5. Connais-tu des objets similaires ?

1. FAISONS LE TRI

 A **Lis cette BD, puis réponds aux questions.**
- **a.** Où se trouvent les trois adolescents ?
- **b.** Qu'est-ce qu'ils font ?
- **c.** Sur la dernière image, qu'est-ce qu'ils font avec les déchets ?

LES MATÉRIAUX

La bouteille est en verre

La canette est en aluminium

Le journal est en papier

La boîte est en carton

Le pot de yaourt est en plastique

La boîte de conserve est en métal

⤑ p. 70

 B **Observe la dernière image de la BD et associe les types de déchets avec la poubelle correcte.**

déchets organiques   plastique   carton

déchets ménagers   papier   verre

LES ACTIONS DU RECYCLAGE

Trier
Recycler
Collecter
Ramasser
Nettoyer

⤑ p. 70

 C **Dis dans quel bac de l'activité B il faut placer ces déchets.**

 une cannette de soda

 un morceau de sandwich

 un journal

 une boîte de céréales (en carton)

 une bouteille d'eau

JETER

Je	jette
Tu	jettes
Il / Elle / On	jette
Nous	jetons
Vous	jetez
Ils / Elles	jettent

⤑ p. 68

D **Et dans ta ville ? Le tri sélectif est-il organisé de la même manière ?**

2. L'ÉNERGIE PROPRE

A Associe à chaque image l'élément naturel utilisé pour produire de l'énergie propre.

le vent   le soleil   l'eau   la force humaine

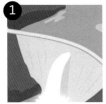  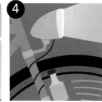

un barrage   des panneaux solaires   des éoliennes   une dynamo

LES ÉLÉMENTS NATURELS

Le vent

Le soleil

L'eau

La force humaine

Les vagues de la mer

La force animale

⋯⟩ p. 70

B Écoute cette présentation d'Yvan Bourgnon, puis réponds aux questions.

Piste 13

a. Il a lancé son projet pour lutter contre quel problème ?
b. Qu'est-ce qu'il veut créer ?
c. Quel est l'objectif de son projet ?
d. Quels moyens il veut utiliser pour produire de l'énergie propre ?

Yvan Bourgnon est un navigateur franco-suisse. Il a participé à de nombreuses compétitions.
Il a fondé l'association *The Sea Cleaners* en 2016.

ASTUCE

Commence toujours par lire les questions avant d'écouter les documents audio : tu vas pouvoir te concentrer sur ce qui est demandé.

C Qu'est-ce que tu penses du projet *Manta* ? Tu connais d'autres projets similaires ?

D Est-ce que tu connais des lieux près de chez toi où l'on produit de l'énergie propre ?

Chez mes grands-parents, il y a des panneaux solaires pour chauffer l'eau.

C'est un scooter à énergie solaire, avec des panneaux solaires...

MINI-PROJET 1 : **UN VÉHICULE PROPRE**

1. Invente un véhicule propre. D'abord, choisis un type de véhicule et réfléchis à comment il pourrait fonctionner avec de l'énergie propre.

2. Présente-le à tes camarades. Tu peux faire un dessin pour mieux expliquer.

3. Avec tes camarades, votez pour le véhicule le plus original.

⋯⟩ **Alternative numérique**
Présenter le véhicule à l'aide d'une photo retouchée.
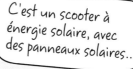

3. LA RÉCUP'

 A Observe ces photos postées par Anaïs et Tom sur un réseau social, lis les commentaires, puis réponds aux questions.

 Anaïs

❤ ◯ ▽
55 likes

Ma nouvelle création récup' : un pot à crayons !
#DIY #récup

nicole_937 C'est très joli ! C'est fait avec quoi ?

Anaïs J'ai utilisé un pot de confiture, de la peinture et du papier doré :)

nicole_937 Est-ce que c'est long à fabriquer ?

Anaïs Non, c'est très facile ! ;)

 Tom

❤ ◯ ▽
74 likes

Voici des idées de déco pour Halloween ;)
#travauxmanuels #zérodéchet

j_sarah J'adore ! Tu as beaucoup d'imagination !

tom_2784 Ah ah ! Merci.

j_sarah Où tu as trouvé ces objets ?

tom_2784 C'est de la récup' ! :) J'ai récupéré des tubes en carton et une boîte de conserve.

LES TRAVAUX MANUELS

LES OUTILS
Les ciseaux

La colle

La peinture

Le pinceau

Le feutre

LES VERBES
(Dé)couper
Coller
Peindre
Dessiner
Colorier

---➤ p. 70

a. Quel est le sens du mot récup' ?
b. Quels objets ont utilisés Anaïs et Tom pour leur création ? Tu peux les retrouver sur les images ?

 B Écoute ce dialogue et dis de quel objet de l'activité A on parle.

Piste 14

 C Écoute à nouveau le dialogue, et dis ce que ce qu'Anaïs a fait et avec quoi.

Piste 14

peindre	du papier blanc
coller	un pot de confiture
colorier	du papier doré
découper	des gommettes

LES INTERROGATIFS

QUOI
C'est fait avec quoi ?

COMMENT
Tu as fait comment pour le décorer ?

OÙ
Où tu as trouvé ces objets ?

EST-CE QUE
Est-ce que c'est long à fabriquer ?

---➤ p. 68

 D Est-ce que tu aimes les travaux manuels ? Tu as déjà créé quelque chose avec des objets récupérés ?

4. LES TUTORIELS

 A **Lis ces instructions pour fabriquer des poissons volants et associe-les à la bonne image.**

a. D'abord, prends un tube en carton et colle des gommettes colorées pour recouvrir le tube.

b. Ensuite, découpe des bandes de papier crépon et colle-les à l'intérieur du tube.

c. Puis, fabrique des yeux avec les 2 bouchons en plastique que tu colles sur le tube en carton.

d. Enfin, fais deux trous opposés, côté tête, passe le fil et noue les extrémités ensemble.

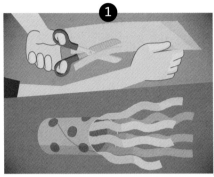

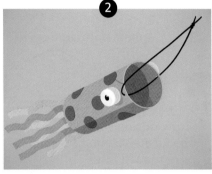

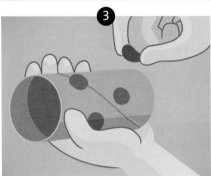

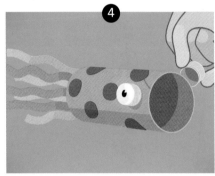

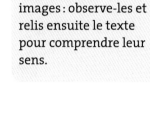
ASTUCE

Si tu ne comprends pas un mot, aide-toi des images : observe-les et relis ensuite le texte pour comprendre leur sens.

LES CONNECTEURS

(Tout) d'abord
Ensuite
Puis
Enfin

⋯➔ p. 68

 B **Tu connais d'autres objets créés à partir de matériaux récupérés ? Si nécessaire, fais des recherches et présente un objet à ton voisin.**

C'est un porte-clefs fait à partir de capsules de café usagées.

MINI-PROJET 2 : **MON TUTORIEL**

1. Tu vas créer un tutoriel pour apprendre à tes camarades une chose que tu sais faire : des bracelets, des origamis, etc. D'abord, fais une liste du matériel nécessaire.

2. Rédige les instructions par étapes, et ajoute des photos pour illustrer.

3. Présente ton tutoriel à tes camarades.

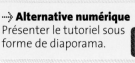
Pour faire des bracelets, il faut : des ciseaux, du fil et de la colle. D'abord, coupez le fil...

⋯➔ **Alternative numérique**
Présenter le tutoriel sous forme de diaporama.

5. AU LIEU DE JETER...

A En général, qu'est-ce que tu fais d'un vêtement que tu ne portes plus ?

B Observe ce schéma, puis complète avec ces trois solutions.

à donner / recycler   à garder   à ramener au magasin

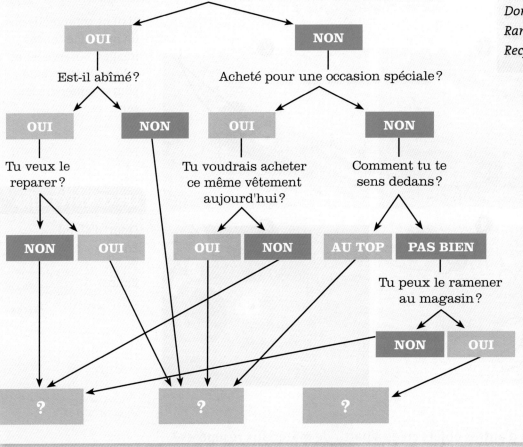

TU AS PORTÉ CE VÊTEMENT DANS LES SIX DERNIERS MOIS ?

OUI — Est-il abîmé?
- OUI : Tu veux le reparer? → NON / OUI
- NON

NON — Acheté pour une occasion spéciale?
- OUI : Tu voudrais acheter ce même vêtement aujourd'hui? → OUI / NON
- NON : Comment tu te sens dedans? → AU TOP / PAS BIEN
  - PAS BIEN : Tu peux le ramener au magasin? → NON / OUI

? ? ?

C Écoute ce dialogue entre Thibault et sa mère, puis dis ce qu'ils vont faire de ces vêtements et de ces chaussures.

Piste 15

le donner
le recycler
le garder

1 2 3 4

D Choisis un vêtement que tu ne portes plus et applique le schéma ci-dessus.

J'ai une chemise rouge neuve, mais je ne la porte jamais, parce que je déteste le rouge. Je peux la donner !

6. JE VENDS...

A Lis ce texte, puis complète-le avec les matières.

coton   laine   jean

LES VÊTEMENTS

LES MATIÈRES
En jean
En coton
En laine
En cuir

LES STYLES
À rayures
À pois
À carreaux
Uni

→ p. 70

Jupe

Taille	36
Prix	15€
Vendeur :	Cerise18
Très bon état	

Je vends cette jolie jupe en ..... très tendance, car elle est trop petite pour moi.

Pull

Taille	M
Prix	18€
Vendeur :	Éric
Neuf	

Je vends ce magnifique pull à rayures en ...... Je n'aime pas la couleur.

Deux t-shirts

Taille	M
Prix	10€
Vendeur :	Maxime
Bon état	

Je vends ces deux t-shirts unis, jaunes et roses, en ..... .

VENDRE

Je	vends
Tu	vends
Il / Elle	vend
Nous	vendons
Vous	vendez
Ils / Elles	vendent

→ p. 68

B À ton tour, rédige une petite annonce pour vendre un vêtement que tu ne portes plus. Ajoute une photo.

Je vends ce pull en laine, parce qu'il est trop petit et je n'aime pas sa couleur.

LES DÉMONSTRATIFS

Ce pull
Cette jupe
Cet anorak
Ces T-shirts

→ p. 68

C Échangez vos annonces et trouvez le vêtement qui vous plaît le plus.

Un jean

Un pull orange en laine

MINI-PROJET 3 : **RELOOKING !**

1. Tu vas imaginer le relooking d'une célébrité ou d'un personnage de fiction. D'abord, choisis la personne à relooker.

2. Sélectionne des vêtements et des accessoires.

3. Cherche des images pour illustrer et colle-les sur une feuille. Ajoute des légendes.

4. Présente ton relooking à tes camarades.

⤍ **Alternative numérique**
Illustrer votre relooking à l'aide d'un logiciel de collage photo en ligne.

A. Les verbes en –*eter* au présent de l'indicatif

Les verbes en **–eter** changent de prononciation et d'orthographe quand ils sont conjugués avec **je, tu, il / elle / on, ils / elles**.

ACHETER	JETER
J'achète	Je jette
Tu achètes	Tu jettes
Il / Elle / On achète	Il / Elle / On jette
Nous achetons	Nous jetons
Vous achetez	Vous jetez
Ils / Elles achètent	Ils / Elles jettent

1. Conjugue les verbes entre parenthèse.

a. Ma mère ne ..... (jeter) rien !

b. Nous ..... (acheter) les vêtements de seconde main.

c. On ..... (jeter) le plastique dans la bonne poubelle.

d. Elles ..... (acheter) peu de choses.

e. Il ..... (acheter) du papier recyclé.

B. Les mots interrogatifs : *où, quoi, comment, est-ce que*

On emploie des mots interrogatifs différents suivant l'objet de la demande.

MOTS INTERROGATIFS	POUR POSER DES QUESTIONS SUR	EXEMPLES
Que (en début de phrase) Quoi (en fin de phrase)	L'objet	*Que fabriques-tu ?* *Tu fabriques quoi ?*
Où	Le lieu	*Où achètes-tu ton matériel ?* *Tu achètes ton matériel où ?*
Comment	La manière	*Comment choisis-tu tes matériaux ?* *Tu choisis tes matériaux comment ?*

Pour poser une question fermée (on répond par **oui** ou **non**), on utilise **est-ce que** :

- *Est-ce que c'est long à fabriquer ?*
- *Non, pas du tout.*

2. Devine les questions posées à partir des groupes de mots soulignés.

a. Elles ramènent une jupe au magasin.

b. Il recycle des boutons pour faire les yeux.

c. Non, je ne porte jamais ce pull.

d. Nous découpons du papier crépon.

C. Les pronoms personnels COD

Le **complément d'objet direct** d'un verbe (le **COD**) peut être remplacé par un **pronom personnel COD**. Les **pronoms personnels COD** à la 3ᵉ personne remplacent indifféremment quelqu'un ou quelque chose.

	MASCULIN	FÉMININ
SINGULIER	Le / L'	La / L'
PLURIEL	Les	

Ils se placent entre le sujet et le verbe conjugué.

Devant un verbe commençant par une voyelle ou un **h** muet, **le / la** --> **l'**.

J'adore son style. --> *Je l'adore*

3. Remplace les mots en gras par un pronom personnel COD.

a. Nous recyclons **nos vêtements**. -->
Nous les recyclons.

b. Mes amis suivent **la mode**.

c. Je trie régulièrement **ma garde-robe** pour donner aux associations.

d. J'aime **le bleu** pour tout : les pantalons, les pulls, les chemises...

D. Les connecteurs chronologiques

Pour indiquer un ordre chronologique dans la réalisation d'un fait, on emploie :

(1) **(Tout) d'abord...** (2) **Ensuite/Puis...** (3) **Enfin**

*D'abord, on trouve de vieux vêtements, **ensuite** on prépare nos modèles, **puis** on les fabrique et **enfin** on les offre.*

> **4.** Remets les étapes du recyclage du plastique dans l'ordre en utilisant *d'abord, ensuite* et *enfin*.
>
> **a.** Le centre de tri collecte les déchets en plastique.
>
> **b.** Les paillettes sont transformées en granulés pour former de nouveaux objets.
>
> **c.** Au centre de tri, les bouteilles en plastique sont transformées en paillettes.

E. Les verbes en –re

Les verbes en **–re** font partie du troisième groupe.

VENDRE	
Je vend**s**	Nous vend**ons**
Tu vend**s**	Vous vend**ez**
Il / Elle / On vend	Ils / Elles vend**ent**

D'autres verbes courants qui se conjuguent comme vendre sont **attendre, descendre, perdre, rendre** et **répondre.**

> **5.** Associe les pronoms personnels et les verbes conjugués, puis complète les phrases.
>
> Elle - perd ⟶ *Elle perd ses affaires.*
>
> **a.** Il   **1.** répondons...
> **b.** Vous   **2.** descends...
> **c.** Tu   **3.** perdent...
> **d.** Elles   **4.** vend...
> **e.** Nous   **5.** attendez...
> **f.** Je   **6.** vends...

F. Les démonstratifs

Pour indiquer quelque chose à quelqu'un, on emploie les déterminants démonstratifs. Ils s'accordent en genre et en nombre avec le nom qu'ils précèdent.

	MASCULIN	FÉMININ
SINGULIER	Ce / Cet	Cette
PLURIEL		Ces

Cette jupe est magnifique !
Ces acteurs sont français.

Quand un mot masculin commence par une voyelle ou un **h** muet, on utilise **cet** qui se prononce comme **cette.**

Cet homme est grand.

> **6.** Complète les phrases
>
> **a.** Je vends ..... anorak.
> **b.** ..... manteau, il est à toi ?
> **c.** J'achète ..... **robe** !
> **d.** ..... couleur te vas très bien.
> **e.** Tu joues à ..... jeux vidéo, toi ?

> **PHONÉTIQUE**
>
> **7.** Écoute et dis si tu entends *ce* ou *ces.*
> Piste 16
>
> | | Ce | Ces |
> |---|---|---|
> | 1 | x | |
> | 2 | | |
> | 3 | | |
> | 4 | | |
> | 5 | | |

A. Les matières

1. Dis en quoi peuvent être les objets suivants (plusieurs réponses possibles).

- un sac
- une bouteille
- une boîte de conserve
- un journal
- une boîte de chaussure
- un pantalon
- un pull
- un t-shirt

B. Les travaux manuels

2. Complète les phrases avec le verbe qui convient.

a. Nous ..... les feuilles de papier avec les ciseaux.

b. Ils ..... un personnage au crayon.

c. Je ..... le paysage avec des feutres.

d. Tu ..... le carton en rouge.

C. L'énergie propre

3. Complète les mots croisés à l'aide de ces définitions.

1. On l'utilise pour faire fonctionner des éoliennes.

2. Il alimente les panneaux solaires.

3. Elle est retenue par un barrage.

4. Elle produit de l'énergie pour allumer la lumière d'un vélo.

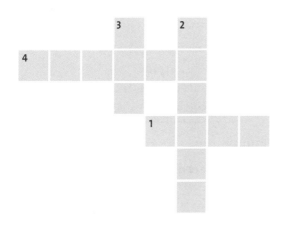

4. Crée ta carte mentale. Écris les mots que tu veux retenir de cette unité et ajoute des photos et des dessins.

Les matières

Les objets

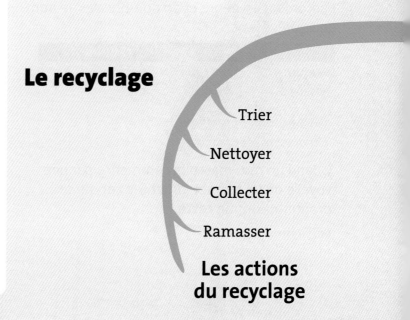

En carton

En plastique

En métal

En verre

En aluminium

À rayures

À pois

Uni

À carreaux

En papier

En jean

En coton

En laine

En cuir

Les vêtements

Le recyclage

Trier

Nettoyer

Collecter

Ramasser

Les actions du recyclage

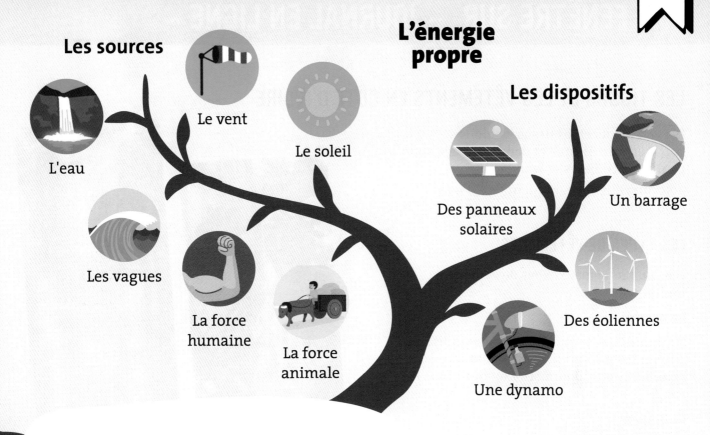

L'énergie propre

Les sources

Le vent

Le soleil

L'eau

Les vagues

La force humaine

La force animale

Les dispositifs

Des panneaux solaires

Un barrage

Des éoliennes

Une dynamo

RECYCLONS !

Les travaux manuels

Les ciseaux

La colle

Le pinceau

La peinture

Le feutre

Les outils

Les actions

Découper

Coller

Peindre

Dessiner

Colorier

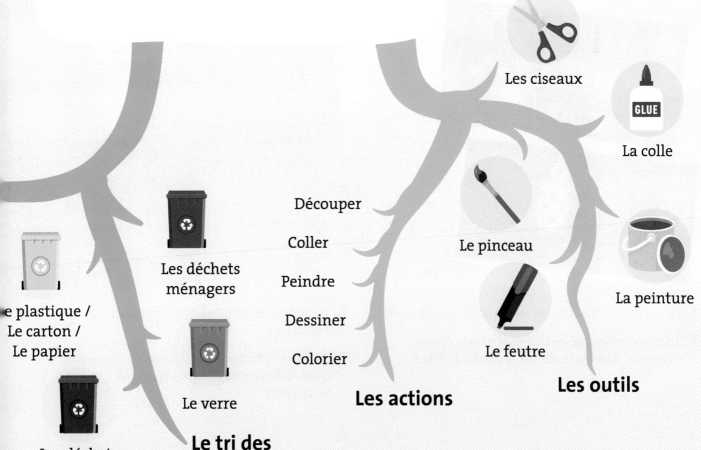

Les déchets ménagers

e plastique /
Le carton /
Le papier

Le verre

Les déchets organiques

Le tri des déchets

FENÊTRE SUR ~ JOURNAL EN LIGNE ~

LES TISSUS ET LES VÊTEMENTS EN CÔTE D'IVOIRE

Les vêtements et les tissus ivoiriens sont très populaires en Afrique et dans le monde entier pour leurs couleurs et leurs motifs.

Voici un petit aperçu de l'art de s'habiller dans mon pays.

LES TYPES DE VÊTEMENTS

Les deux principaux types de vêtements traditionnels sont :

Le pagne

Un grand tissu coloré qui peut être utilisé de différentes manières : comme une robe ou une jupe, sur la tête, pour porter un bébé dans le dos, etc.

Le boubou

Pour les hommes comme pour les femmes, il s'agit d'une longue tunique assez large et colorée. Les formes peuvent changer selon la mode et les occasions.

⬆ Des pagnes ⬆ Un boubou

LES TISSUS

Le kita

C'est un tissu coloré fait de fils de coton et de soie mélangés. Chaque couleur a une signification : par exemple, le bleu représente la paix et le jaune, la santé.

Les formes aussi sont très importantes. Un cercle, par exemple, signifie l'infini, alors qu'un triangle peut représenter la naissance ou la mort.

Le wax

C'est le tissu ivoirien le plus connu, tout en coton. On l'utilise pour tous les types de vêtements et aussi pour les sacs.

⬆ Le kita.

⬅ Le wax.

1. **Est-ce que tu connais les tissus cités dans le texte ?**

2. **Tu peux retrouver les couleurs et les formes évoquées dans le texte sur la photo du kita ?**

3. **Tu aimes les vêtements et les tissus ivoiriens ? Pourquoi ?**

4. **Observe l'affiche de la BD *Aya de Yopougon*. Quels éléments des tissus ivoiriens tu peux y retrouver ?**

AYA DE YOPOUGON

Aya, c'est le personnage d'une bande dessinée écrite par Marguerite Abouet, et illustrée par Clément Oubrerie. Elle a 18 ans, elle est étudiante et elle habite à Yopougon, un quartier populaire d'Abidjan, où elle passe beaucoup de temps avec Adjoua et Bintou, ses deux meilleures amies.

Aya, Bintou et Adjoua sont toujours habillées avec des vêtements à la mode faits de beaux tissus africains très colorés.

⬆ *Aya de Yopougon,* de Marguerite Abouet et Clément Oubrerie © Gallimard

Journaliste en herbe !

Écris un article pour présenter les vêtements traditionnels de ta région, ou d'une région que tu connais. Explique en quelle matière ils sont faits, et à quelle occasion on les porte.

QUESTIONNAIRE CULTUREL
Teste tes connaissances ! ??

Côte d'Ivoire

→ La capitale économique de la Côte d'Ivoire est :
  a. Dakar.
  b. Abidjan.
  c. Saint-Denis.

→ En Côte d'Ivoire il y a des plages : vrai ou faux ?

→ Le boubou est :
  a. Un plat typique.
  b. Une profession.
  c. Un vêtement.

→ Cite le nom d'un groupe musical ivorien.

L'écologie

→ Associe ces éléments à leur définition.
  a. Une éolienne.
  b. Le tri sélectif.
  c. Recycler.

  1. Méthode de séparation des déchets.
  2. Transformer un objet pour lui donner une autre fonction.
  3. Machine qui produit de l'énergie avec le vent.

→ Qu'est-ce qu'Yvan Bourgnon a créé pour nettoyer l'océan ?
  a. Un bateau.
  b. Un barrage.
  c. Une dynamo.

Les tissus ivoiriens

→ Que représente le triangle dans les tissus ivoiriens ?
  a. La paix.
  b. La naissance ou la mort.
  c. L'amitié.

MON PROJET FINAL : **UNE ÉCOLE ÉCOLOGIQUE !**

VOUS ALLEZ CRÉER UNE AFFICHE AVEC DES IDÉES POUR RENDRE VOTRE ÉCOLE PLUS ÉCOLOGIQUE

1. Par petits groupes, réfléchissez à des idées pour :
- recycler les déchets que vous produisez dans votre classe
- réutiliser des matériaux de votre école
- créer de l'énergie propre

2. Réalisez votre affiche et ajoutez des photos pour illustrer vos idées.

3. Chaque groupe présente son affiche au reste de la classe.

···} **Alternative numérique**
Présenter les idées à l'aide d'un logiciel graphique en ligne.

MON ÉCOLE ÉCOLOGIQUE !

Pour produire de l'énergie propre, on peut installer des panneaux solaires pour chauffer l'eau

On peut utiliser les deux faces d'une feuille de papier.

On peut créer des poubelles pour trier nos déchets.

DNL En classe de technologie

4

La fabrication du jean

Les matériaux utilisés dans les industries pour la production d'objets que nous achetons ont un impact important sur notre environnement. Il est urgent d'agir. Des gestes simples peuvent aider à préserver notre planète.

A. Observe cette infographie et réponds aux questions.

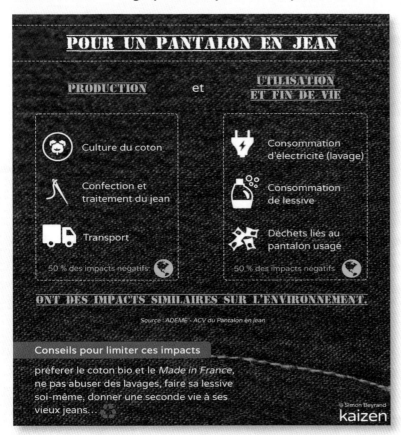

← Kaizen Magazine

1. Quelle est la matière utilisée pour la fabrication d'un jean ? Est-ce que c'est une matière écologique ?
2. Quels conseils donne l'infographie pour limiter les impacts négatifs ? Complète le tableau.

IMPACTS NÉGATIFS	CONSEILS
la culture du coton	
les déchets (jeter)	
la consommation d'électricité pour le lavage	
la consommation de lessive	

3. L'infographie conseille de donner une seconde vie à ses jeans. À ton avis, qu'est-ce qu'on pourrait faire avec un vieux jean ? Discutes-en avec un camarade.
4. L'infographie conseille d'acheter du coton *Made in France*. Donne le nom de produits où on peut trouver cette mention.
5. Est-ce que tu as des vêtements fabriqués dans ton pays ? Fais des recherches pour proposer un produit.

B. En groupe, remplacez le jean par un autre produit ou objet de votre choix et adaptez l'infographie en remplaçant les conseils.

UNITÉ 5
Connectés

↑ *Accro à ton smartphone ?*, Norman fait des vidéos (2014)

↑ Port de Marseille

LEÇON 1

Je parle des objets quotidiens et des objets numériques

- La description d'un objet
- Exprimer l'interdiction
- Le futur proche : **aller** + infinitif

Mini-projet 1

Imaginer un objet du futur.

LEÇON 2

Je parle des réseaux sociaux et des applications

- Les réseaux sociaux
- Le passé composé avec **être**

Mini-projet 2

Réaliser une enquête sur l'utilisation des réseaux sociaux.

LEÇON 3

Je parle des dangers d'Internet

- Donner des conseils
- Les adjectifs indéfinis
- La négation : **ne... rien,** **ne... personne, ne... jamais, ne... aucun**

Mini-projet 3

Imaginer une journée sans technologie.

FENÊTRE SUR

Je découvre la French Tech Aix-Marseille et des start-up de Marseille.

PROJET FINAL

CRÉER UNE APPLICATION

Salut ! Je m'appelle Émilie et je suis de Marseille. Dans cette unité, on va parler des nouvelles technologies et des objets du quotidien !

Marseille

Émilie

Salut tout le monde ! Ça y est, je suis sur Snapchat 😃
√ 16:02

Iéolala
Bienvenue ! C'est une photo de toi avec le filtre de chien ? Hihi !
√ 16:02

Inès_doss
Génial ! Prépare-toi : tu vas recevoir des photos de nous sans arrêt ! On est super actifs sur Snapchat !
√ 16:16

Raphaël
Attention, c'est addictif ! Moi, je suis dessus 24 heures sur 24...
√ 16:18

Émilie
Et à quoi ça sert, à part prendre des photos et ajouter des oreilles de chien ou des déguisements ?
√ 16:18

Claire
À faire plein de trucs ! Tu peux localiser tes amis, envoyer des photos qui disparaissent après 10 secondes... .
√ 19:45

Raphaël
Ou créer des groupes d'amis.
√ 19:45

En route !

1. Lis les messages. Qu'est-ce que Snapchat permet de faire ?

2. Quel ami d'Émilie utilise énormément cette application ?

3. Et toi ? Comment communiques-tu avec tes camarades de classe ?

4. Regarde la vidéo. Pourquoi Norman dit que le smartphone est une drogue ? Que font les gens avec leur smartphone ?

LE SAIS-TU ?

Le port de Marseille est le premier port français et le deuxième port de la Méditerranée. Il permet à la France de communiquer avec l'Asie, l'Afrique du Nord, l'Europe du Sud et le Proche-Orient.

1. NOS OBJETS INDISPENSABLES

A Observe ces photos et entoure les objets que tu utilises chaque semaine. Puis, associe les photos et les noms des objets.

téléphone portable	mp3	console de jeux vidéo
ordinateur portable	handspinner	pâte slime
perche à selfie	skateboard	tablette

DÉCRIRE UN OBJET

C'est un objet qui sert à écouter / lire / jouer...

Je l'utilise pour écouter / lire / jouer...

C'est pratique.
C'est génial (pour)...
C'est parfait (pour)...
C'est utile (pour)...

C'est une espèce / sorte de livre / balle...

C'est en métal / plastique / verre / bois...

---> p. 86

ASTUCE

Quand tu ne connais pas un mot, pense à utiliser les expressions ci-dessus pour le décrire.

B **Écoute Émilie et ses amis parler avec leur professeur avant le cours de français et réponds aux questions.**
Piste 17
1. Quels objets n'ont-ils pas le droit d'utiliser pendant le cours ? Pour quelle raison ?
2. Comment décrivent-ils la pâte slime ?

C **Et toi, quels objets n'es-tu pas autorisé(e) à utiliser ?**

D **Pense à tes trois objets préférés. Décris-les pour les faire deviner à tes camarades. Le premier qui devine a un point ; celui qui arrive à trois points gagne.**
C'est un objet assez petit ; c'est très utile pour ne pas être en retard ; je l'utilise pour savoir l'heure et aussi pour chronométrer...

E **Fais un collage avec tes objets indispensables.**

EXPRIMER L'INTERDICTION

Il ne faut pas...
On n'a pas le droit de / d'...
On n'est pas autorisé à...
C'est interdit de / d'...

...manger en classe.
...utiliser son téléphone ... portable.

---> p. 84

2. LES NOUVEAUX OBJETS NUMÉRIQUES

 A Lis cette page du blog « Fou du futur ! ». Qu'est-ce qu'elle présente ? Qu'est-ce qu'on va pouvoir faire grâce à ces objets ?

FOU DU FUTUR !

PRYNT

PHONOTONIC

UNE IMPRIMANTE QUI VA VOUS IMPRESSIONNER

Les coques de portables nous donnent du style et protègent notre smartphone. Attention, elles vont bientôt... imprimer nos photos ! L'imprimante Prynt va les imprimer en 30 secondes. On va pouvoir les coller sur nos murs, les partager avec nos amis... Bref, on ne va plus les oublier dans un fichier de notre téléphone !

LE GADGET MUSICAL QUI VA DEVENIR INDISPENSABLE

Nos mouvements vont devenir... de la musique ! Phonotonic, c'est une balle musicale avec un capteur bluetooth et des fichiers de musique. Vous pouvez la lancer, la faire tourner, danser avec. Elle est reliée à une appli qui va traduire vos mouvements en mélodies et rythmes. Vous pouvez aussi créer de la musique avec vos copains si vous avez plusieurs capteurs.

ASTUCE

Ce n'est pas nécessaire de comprendre tous les mots d'un texte. Cherche plutôt à comprendre le sens global. Les images et les mots transparents peuvent t'aider.

LE FUTUR PROCHE

Verbe **aller** conjugué + verbe à l'infinitif

Je	vais	
Tu	vas	
Il / Elle	va	voir
Nous	allons	
Vous	allez	
Ils / Elles	vont	

p. 84

 B À ton avis, quel objet est le plus intéressant ? Pourquoi ? Connais-tu d'autres objets connectés ?

 C Selon toi, quels objets connectés vont être très utilisés dans le futur ?

Je crois qu'on va beaucoup utiliser les applis pour traduire.

LA TROTTINETTE VOLANTE

MINI-PROJET 1 : **UN OBJET DU FUTUR**

1. En groupes, vous allez imaginer un objet du futur. Pensez à quelque chose qui va vous aider ou vous amuser.

- À quoi ressemble-t-il ?
- À quoi sert-il ?
- Dans quelles situations va-t-il être utile ?

2. Présentez-le au reste de la classe.

3. Attribuez des prix aux objets présentés.

le plus original   le plus fou

le plus utile

Avec la trotinette volante, vous allez voler jusqu'au collège et être les plus rapides ! Vous pouvez la décorer avec des stickers et de la peinture. Elle est de taille moyenne et très pratique.

Alternative numérique
Publier vos images sur un mur numérique intitulé « Les objets du futur ».

3. LES RÉSEAUX SOCIAUX

A Observe cette infographie et réponds aux questions en cochant vrai ou faux.

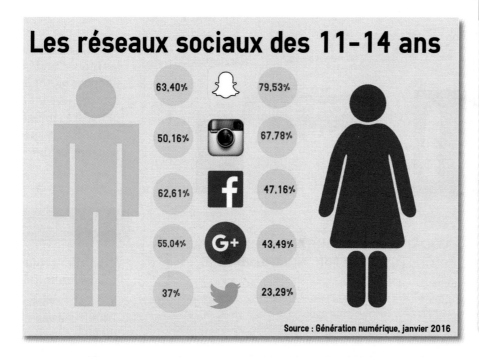

Les réseaux sociaux des 11–14 ans

63,40%		79,53%
50,16%		67,78%
62,61%		47,16%
55,04%		43,49%
37%		23,29%

Source : Génération numérique, janvier 2016

LE PASSÉ COMPOSÉ AVEC ÊTRE

Au passé composé, on utilise l'auxiliaire **avoir** + participe passé pour la majorité des verbes. *Les garçons ont été moins actifs.*

Mais certains verbes utilisent l'auxiliaire **être**, comme les verbes **devenir**, **aller** et d'autres verbes de mouvement. *Les filles sont allées sur les applications.*

Snapchat est devenue l'application la plus utilisée.

⤳ p. 84

	V	F
1. En 2016, les garçons ont été moins actifs que les filles sur Twitter.		
2. En 2016, les filles sont allées plus souvent sur les applications de partage de photos.		
3. En 2016, plus d'adolescents ont utilisé Google + que Facebook.		
4. En 2016, Snapchat est devenu l'application la plus utilisée.		

B Et toi ? Sur quels réseaux sociaux vas-tu ? Quelles applications utilises-tu ?

Moi, je vais surtout sur Snapchat.

C Et toi ? Qu'est-ce que tu as fait ces sept derniers jours ?

Le week-end dernier j'ai fait un Skype avec mes grands-parents et j'ai participé au forum « Les chats mignons ». Et toi ?

faire un Skype avec quelqu'un   regarder des tutoriels

envoyer des textos   participer à un forum de discussion

suivre le compte Instagram d'une célébrité

prendre des selfies   aller sur des blogs et des vlogs

créer un blog ou un vlog   jouer en ligne

4. ŒUVRES ARTISTIQUES VIRTUELLES

 A Lis cet article. Qu'est-ce que Jeff Koons a fait ? Comment peut-on voir ces œuvres ?

UN LAPIN À PARIS

Un lapin immense est arrivé devant la tour Eiffel ! Mais sans Snapchat, impossible de le voir : il reste invisible. L'application a décidé de collaborer avec des artistes : vous allez découvrir des œuvres d'art géantes à travers l'écran de votre smartphone, mais seulement si vous avez téléchargé le nouveau filtre en réalité augmentée.

Les sculptures de Jeff Koons, comme ce lapin argenté, se sont installées devant les monuments emblématiques de plusieurs villes du monde. À Paris, par exemple, beaucoup d'amateurs d'art sont venus admirer ce lapin.

Jeff Koons est né en 1955 aux États-Unis. Il est devenu célèbre grâce à ses sculptures colorées et brillantes, en marbre, en fleurs, ou encore en acier, comme ses *Balloon Dogs*, qui ressemblent à des chiens en ballon gonflable.

 B Est-ce que tu connais d'autres objets invisibles ou qu'on peut découvrir seulement grâce à une application ou un réseau social ?

Oui, la chasse aux Pokémons…

C Choisis un vlogeur, booktubeur ou un artiste Snapchat ou Instagram qui te plaît. Écris un petit texte sur lui (biographie, activités...) d'après le texte sur Jeff Koons.

LES VERBES AVEC ÊTRE

Les verbes pronominaux :
Les sculptures se sont installées.

Arriver, venir, naître :
Un lapin est arrivé.
Les amateurs sont venus.
Il est né en 1955.

····> p. 84

MINI-PROJET 2 : RÉALISER UNE ENQUÊTE

1. Chaque élève va poser cette question à un adulte :
« Qu'est-ce que vous avez fait ces sept derniers jours sur les réseaux sociaux ? » Proposez six activités possibles.

- faire un Skype

- mettre des photos sur Facebook

- …

2. Réalisez l'enquête.

3. Mettez en commun les résultats et faites un graphique ou une infographie comme celle de la page précédente.

····> **Alternative numérique**
Faire l'enquête en ligne et réaliser l'infographie avec un programme de design.

5. LES DANGERS D'INTERNET

A Quel est l'objectif de cette affiche ? Pourquoi a-t-on besoin de ces conseils ?

←··· Comission d'accès à l'information du Québec

LES ADJECTIFS INDÉFINIS

Je tchatte avec tous mes copains.

Je vais sur plusieurs blogs.

Certains joueurs en ligne sont devenus des amis.

Quelques personnes inconnues m'ont demandé de les ajouter.

Aucun de mes amis n'a été arnaqué.

···❯ p. 84

B Quels conseils suis-tu ?

C Écoute les témoignages de Sam et Louise et dis si leur expérience est positive ou négative. Qu'est-ce qui leur est arrivé ?

Piste 18

D Et toi ? Coche les affirmations qui sont vraies dans ton cas.
1. **Quelques** personnes m'ont insulté sur des forums.
2. **Certaines** publicités qui apparaissent sur mon écran sont inappropriées.
3. **Plusieurs** inconnus m'ont demandé de l'argent ou des informations personnelles en ligne.
4. À chaque fois que je me connecte sur un nouveau site, je me demande s'il est adapté à mon âge.
5. **Tous** mes amis parlent avec des inconnus sur Internet.
6. **Aucun** de mes amis n'a été arnaqué.

E Par groupes, comparez vos résultats de l'activité précédente.

Aucun de mes amis ne parle avec des inconnus sur Internet.

6. DÉCONNEXION

 A À ton avis, qu'est-ce qu'une détox digitale ?

 B Fais ce test. Es-tu d'accord avec les résultats ?

AS-TU BESOIN D'UNE DÉTOX DIGITALE ?

1. QUAND TU DISCUTES AVEC TES AMIS PENDANT LA RÉCRÉ...

★ Tu leur montres la dernière publication de ton vlogeur préféré sur Youtube.
■ Tu n'entends rien, tu écoutes de la musique sur ton mp3.
▲ Tu ne regardes jamais ton téléphone portable.

2. QUAND TU AS TON TÉLÉPHONE ENTRE LES MAINS...

▲ Les applis, les messages, les vidéos… rien n'est vraiment intéressant, tu t'ennuies vite.
★ Tu t'amuses bien, mais tu n'as aucun problème à le ranger quand on te propose une autre activité.
■ Personne ne peut te déranger, tu es complètement absorbé(e).

3. SI TU N'AS PAS DE CONNEXION INTERNET ET PAS DE GADGETS TECHNOLOGIQUES, QUE FAIS-TU ?

■ C'est impossible, tu n'es jamais sans technologie.
▲ Les mêmes choses que d'habitude : ça ne change rien.
★ Comme tu n'as aucun moyen de contacter tes copains, tu vas les voir !

Tu as un maximum de ★
Tu aimes les objets numériques, mais tu peux facilement vivre sans technologie : la détox est optionnelle.

Tu as un maximum de ■
Tu n'as aucune idée de ce qu'est la vie sans technologie, tu dois te déconnecter au plus vite !

Tu as un maximum de ▲
La technologie ne change presque rien à ta manière de vivre, tu n'as pas besoin de détox digitale… pas encore !

 C Complète ces phrases pour parler de tes habitudes numériques. Les autres élèves doivent deviner si tu dis la verité.

1. Je ne vais jamais sur .....
2. Personne ne peut me déranger quand .....
3. Je ne suis accro à rien, sauf à .....
4. Je n'ai aucune difficulté à .....

• Je ne vais jamais sur Facebook.
○ Ce n'est pas vrai.

LA NÉGATION

Tu n'es jamais sans technologie.

Tu n'entends rien.

Rien n'est intéressant.

Tu ne parles à personne.

Personne ne peut te déranger.

Tu n'as aucun problème.

⋯⟶ p. 84

MINI-PROJET 3: **MA JOURNÉE SANS TECHNOLOGIE**

1. Imaginez 24 heures sans technologie. Par groupes, faites une liste des 10 choses que vous ne devez pas faire.

2. Chacun écrit dans un journal intime ce qu'il / elle a fait à différents moments de cette journée.

3. Est-ce que vous préférez votre routine habituelle ou cette journée sans technologie ? Pourquoi ?

Samedi 22 mars, je me suis levée à 8 h. Je n'ai pas regardé mon téléphone et j'ai pris mon petit déjeuner. Après, dans le métro, j'ai lu une BD…

⋯⟶ **Alternative numérique**
Utiliser un blog pour tenir ton journal intime.

A. Décrire un objet

1. Décris ces objets en utilisant les expressions suivantes.

Ça sert à...

On l'utilise pour...

C'est une espèce / sorte de...

C'est en métal / bois...

B. Internet et les objets connectés

2. Parle avec un(e) camarade de ton utilisation d'Internet et des objets connectés. Trouvez vos points en commun.

selfies

tutoriels

blogs

textos

mp3

réseaux sociaux

forums de discussion

applications

On ne regarde presque jamais de tutoriels...

3. Crée ta carte mentale. Écris les mots que tu veux retenir de cette unité et ajoute des photos et des dessins.

Les objets
Décrire un objet

C'est un objet qui sert à couper / lire / jouer...

Je l'utilise pour couper / lire / jouer...

C'est pratique (pour)...

C'est génial (pour)...

C'est parfait (pour)...

C'est utile (pour)...

C'est une espèce / sorte de livre / balle...

C'est en métal / plastique / verre / bois...

Le téléphone portable

 le smartphone

 l'écran

 le mot de passe

 une appli(cation)

 envoyer # recevoir des textos / des photos

  allumer # éteindre son téléphone

  prendre une photo / un selfie

Exprimer l'interdiction

Il ne faut pas parler...

On n'a pas le droit de parler...

On n'est pas autorisé à parler...

C'est interdit de parler...

CONNECTÉS

Autres

l'ordinateur

la tablette

le site Internet

le blog

les réseaux sociaux

Internet

Activités

naviguer / surfer sur le web

participer à un forum

envoyer des messages à quelqu'un

publier quelque chose sur les réseaux sociaux

télécharger une application / une vidéo...

jouer en ligne

suivre le compte de quelqu'un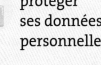

aller sur des blogs / des réseaux sociaux...

utiliser Instagram / Snapchat...

Mesures de sécurité sur Internet

utiliser un pseudonyme

créer un mot de passe

protéger ses données personnelles

LA FRENCH TECH

Le ministère de l'Économie a créé le label « French Tech », un titre donné aux villes qui encouragent les start-up à innover dans le secteur des technologies. Ce label permet de rapprocher ces villes, de leur donner des subventions et surtout une identité forte.

La French Tech
un réseau d'écosystèmes de startups partout en France

LA SILICON VALLEY EUROPÉENNE

La French Tech Aix-Marseille accueille chaque année les « Semaines French Tech », où se réunissent une multitude d'entreprises et de médias pour soutenir la création, l'esprit d'initiative et les projets technologiques de la région.

La deuxième ville de France est devenue un des centres de la connectivité internationale. Avec des milliards d'euros de chiffre d'affaire, plus de 40 000 employés dans le numérique et le plus haut taux de création d'entreprises de France, les médias l'appellent : « la nouvelle Silicon Valley européenne ». Entourées de la mer, près de la montagne et sous le soleil, les entreprises de la French Tech Aix-Marseille sont dans les conditions idéales pour créer des objets connectés, biotechnologies et médias.

↑ Le MUCEM (Musée des civilisations de l'Europe et la Méditerrannée)

1. **Qu'est-ce que la French Tech ? Est-ce qu'elle existe seulement à Marseille ?**

2. **Qu'est-ce que la Silicon Valley ? Fais des recherches sur Internet.**

3. **Pourquoi dit-on que Marseille est la Silicon Valley de l'Europe ?**

4. **Lis les textes sur les startuppers. À quoi servent leurs applications ? Laquelle préfères-tu ?**

LE SAIS-TU ?

Marseille est une ville qui soutient les nouvelles technologies, mais aussi… le football ! Son équipe, l'Olympique de Marseille, « l'OM », est très populaire.

Dans ce numéro, Émilie nous parle de la French Tech Aix-Marseille.

DES STARTUPPERS

GUILLAUME FAIA ET SON DAILY PANDA

À 28 ans, ce fan de jeux vidéo basé à Marseille a déjà créé son entreprise, Honikou Games, et a développé des jeux pour tablettes et smartphones : jeux de sport, de combat, mais surtout... d'animaux mignons ! *Daily Kitten* et *Daily Panda*, téléchargés des millions de fois, ressemblent à des Tamagotchi : vous adoptez votre animal et vous devez vous occuper de lui tous les jours. Tout au long des 42 niveaux, vous allez jouer avec votre panda, le prendre en photo, et même le déguiser pour le rendre encore plus adorable.

↑ Guillaume Faia

FRANÇOIS PACOT ET SON JELLY GLUTTON

Le jeune fondateur de la start-up Royal Cactus a eu l'honneur de représenter la France au Congrès des entrepreneurs. Son *Jelly Glutton* compte plus de 15 millions d'inscrits ! Ce glouton, c'est un gentil petit monstre que vous devez nourrir de bonbons, gâteaux et biscuits à l'aide de combinaisons verticales ou horizontales (un peu comme *Candy Crush*). Tous les dix niveaux, le thème change et quand une ligne est dévorée, vous voyez le monstre ouvrir grand la bouche.

↑ François Pacot

Journaliste en herbe !

Écris un reportage sur une start-up ou la biographie du fondateur d'une start-up.

QUESTIONNAIRE CULTUREL
Teste tes connaissances !

Marseille

→ Dans quelle partie de la France se trouve Marseille ? La ville est-elle au bord de quelle mer ?

→ Quel est le nom de l'équipe de football de Marseille ?

→ Le port de Marseille est...
  a. le premier de France et aussi de la Méditerrannée.
  b. le deuxième de France et le deuxième de la Méditerrannée.
  c. le premier de France et le deuxième de la Méditerrannée.

Les nouvelles technologies

→ Qui est l'auteur de cette œuvre et grâce à quel réseau social peut-on la voir ?

→ Qui sont les deux héros des jeux *Daily Panda* et *Jelly Glutton* ?

→ Complète ces expressions avec les verbes qui conviennent.

| prendre | s'inscrire à |
| écrire | jouer |

a. ..... des selfies
b. ..... en ligne
c. ..... des textos
d. ..... un forum

VOUS ALLEZ FAIRE UNE FOIRE AUX APPLICATIONS

1. Par groupes, vous allez créer une nouvelle application. D'abord, définissez ses caractéristiques :
- le thème (la mode, le sport, l'alimentation, les célébrités, l'art, le collège, la musique…)
- la fonction
- l'apparence (nom, logo, slogan)

2. Préparez une affiche publicitaire de votre application.

3. La moitié de la classe expose ses affiches et l'autre moitié visite la foire et pose des questions. Inversez les rôles.

4. Quelle application peut t'être utile ?

···▷ **Alternative numérique**
Créer un poster numérique pour présenter l'application.

Cette application va vous aider à savoir danser sur tous les styles de musique et pour toutes les occasions ! Soirées, concerts, dans la queue de la cantine, vous allez impressionner avec des pas de danse parfaits !

Danse sur tout partout !

Tu adores la dernière chanson de Miley Cyrus, mais quand elle passe et que tu commences à danser, c'est la catastrophe ? Télécharge *Danse sur tout partout* !
Avec cette appli, tu peux chercher la chanson, regarder les pas de danse suggérés et t'entraîner à les reproduire en rythme. Tu peux choisir le niveau de difficulté et le type de chorégraphie (relax, impressionnant, comme dans le clip vidéo…).

Danse
sur tout partout

DNL En classe de littérature

Jouer avec les mots

Au collège, en littérature, on découvre les auteurs classiques et on apprend aussi à jouer avec les mots. Les élèves lisent des romans, des pièces de théâtre, de la poésie et écrivent des textes ou des poèmes en s'amusant.

A. Réponds à ces questions sur ta relation avec la littérature.

1. Tu aimes lire ?
2. Tu aimes écrire ?
3. Est-ce que tu connais des jeux d'écriture ?

B. Lis ces techniques pour écrire des textes créatifs, puis réponds aux questions.

JEUX ET RÈGLES	EXEMPLES
Tautogramme. Tous les mots du texte commencent par la même lettre.	*Aujourd'hui, Anna apprend à additionner.*
Lipogramme. On écrit un texte avec l'interdiction d'utiliser une ou plusieurs lettres.	*Mes lunettes sont sur la table à manger.*
Des mots qui finissent par les mêmes lettres.	*Chanter, boulanger, quartier, peuplier.*

1. Par quelle lettre commencent tous les mots du tautogramme proposé ?
2. Quelle voyelle est interdite dans le lipogramme proposé ?
3. Comment finissent tous les mots du troisième exemple ?

C. Choisis une des techniques précédentes et écris une phrase.

D. Le calligramme est un texte en forme de dessin. Retrouve dans ce calligramme des exemples de ces catégories de mots.

- 1 adjectif
- 1 verbe
- 1 sujet
- 1 lieu

E. À ton tour, réalise un calligramme avec un texte de ton choix.

UNITÉ 6
La maison

Yourte écologique : entrons dans la ronde !

Centre historique de Rennes

LEÇON 1

Je parle des pièces de la maison

- Il y a, il n'y a que
- Hyper, super, toute
- Les pièces, les meubles et les objets de la maison

Mini-projet 1

Dessiner le plan d'un appartement idéal.

LEÇON 2

Je compare des maisons et des objets de décoration

- Les comparatifs
- Le pronom y
- Les superlatifs
- Les objets de la maison

Mini-projet 2

Redécorer ma chambre.

LEÇON 3

Je parle des tâches ménagères

- Décrire une pièce
- Les tâches ménagères
- Exprimer l'obligation : **devoir** + infinitif, **être obligé(e) de** + infinitif

Mini-projet 3

Découvrir quelle est la tâche ménagère la plus aimée et la plus détestée de la classe.

FENÊTRE SUR

Je découvre la ville de Rennes.

PROJET FINAL

FAIRE LA VISITE D'UN LOGEMENT

Salut ! Je m'appelle Evann et je suis breton, de Rennes. Dans cette unité, on va parler de la maison !

Rennes

Evann

Ce week-end, je pars à la mer. Je vais dans la maison de vacances de mes grands-parents.
√10:11

Zoé
Trop belle ! Et ton concert de musique celtique ?
√10:27

Evann
C'est dimanche. Je vais voir mon bagad préféré.
√10:40

Tristan
C'est quoi un bagad ?
√10:41

Evann
C'est un groupe de musique traditionnelle bretonne.
√11:13

Juliette
Tu as de la chance ! Moi, je dois ranger ma chambre...
√11:20

Evann
Bon courage Juliette ! Kenavo les amis !
√11:20

Tristan
Zoé, « kenavo » veut dire « au revoir » en breton !
√11:21

En route !

1. Lis les messages. Que va faire Evann ce week-end ?

2. Qu'est-ce qu'un bagad ?

3. Regarde la vidéo. Comment tu trouves la maison présentée ?

écologique   pratique   moderne

belle   confortable   …

4. Dis ce que tu aimes et ce que tu n'aimes pas dans cette maison. Aimerais-tu y vivre ? Pourquoi ?

1. UN APPARTEMENT À PARIS

 A **Regarde ces dessins et lis le texte. À quels mots du texte correspondent ces pièces ?**

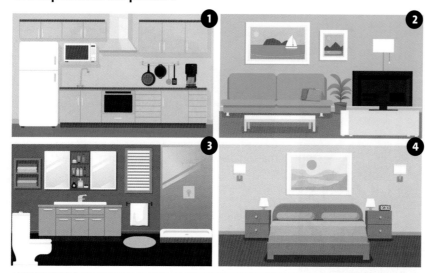

> **IL N'Y A QUE**
>
> *Dans cet appartement, il n'y a qu'une chambre.*
>
> (= il y a seulement une chambre)
> *Il y a deux chambres.*
> *Il n'y a pas de terrasse.*
>
> ⇢ p. 100

(Juliette et sa mère sont québécoises et viennent passer quelques jours à Paris. Elles découvrent l'appartement qu'elles ont loué.)

Le logement est lumineux et semble aussi propre que confortable. Nous découvrons une petite cuisine tout équipée, un salon spacieux avec de grandes fenêtres offrant une super vue de l'animation de la rue, une minuscule salle de bain… sans bain, mais avec une douche hyper moderne. La déco, toute en rouge et noir, est super géniale ! Ouvrant la porte de l'unique chambre, je soupire de déception. Il n'y a qu'un seul lit… Grrr ! Qui a envie de dormir avec sa mère à l'âge de treize ans ?

> **LE SAIS-TU ?**
>
> Paris est une ville très chère, les logements sont petits et ils sont souvent loués pour le tourisme. De nombreux Parisiens sont obligés d'aller vivre hors de la capitale.

⬆ *Juliette à Paris*, Rose-Line Brasset, Éd. Kennes, page 35

 B **Selon toi, quels sont les points positifs et négatifs de cet appartement ? Complète ce tableau.**

Points positifs (+)	Points négatifs (-)
Il est lumineux.	Il n'y a pas de…

> **HYPER, SUPER, TOUTE**
>
> hyper / super moderne
> toute petite salle de bain
> 🔧 Comment traduirais-tu **hyper**, **super** et **toute** dans ta langue ?

 C **Et chez toi ? Quels sont les points positifs et négatifs de ta maison ?**

Chez moi, il y a deux chambres et il n'y a qu'une petite salle de bain. Mais ma chambre est très grande !

2. DANS LE SALON, IL Y A...

A Voici un plan de l'appartement loué par Juliette, mais il comporte des erreurs. Lesquelles ?

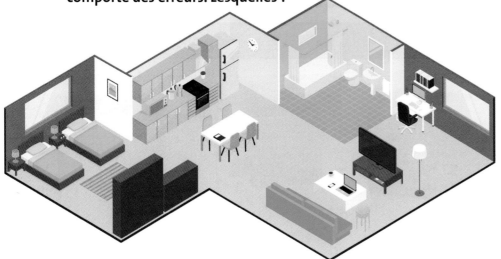

QUELQUES MEUBLES ET OBJETS

le canapé

le lit

la lampe

la table

la table basse

la table de chevet

le frigo

la baignoire

les toilettes

····> p. 102

Dans l'appartement de Juliette, il n'y a qu'un seul lit et, ici, il y a deux lits.

B Pierre veut louer un appartement et appelle la propriétaire pour avoir plus de renseignements. Écoute leur conversation et coche les équipements qu'il y a dans l'appartement.

Piste 20

- télévision
- sèche-cheveux
- piscine
- console de jeux
- micro-ondes

- lave-vaisselle
- cheminée
- chauffage
- lave-linge
- sèche-linge

- wi-fi
- jardin
- terrasse
- barbecue

C Est-ce que Pierre loue finalement la maison ? Pourquoi ?

Piste 20

D À deux, observez le plan de l'activité A pendant 30 secondes. Ensuite, fermez le livre. Que trouve-t-on dans chaque pièce de l'appartement ? Vous avez 2 minutes pour tout noter ! Celui qui a la meilleure mémoire gagne !

MINI-PROJET 1 : LE LOGEMENT IDÉAL

1. En groupes, dessinez le plan d'un appartement ou d'une maison de vacances.

2. Notez les points forts de votre logement (taille, équipements, extérieurs...).

3. Présentez votre logement au reste de la classe.

4. Quel est le logement que vous préférez ?

····> **Alternative numérique** Dessiner le plan avec un logiciel gratuit.

3. JE REDÉCORE MA CHAMBRE

 A Regarde ces objets et associe les photos à leur description.

Idées pour une chambre d'ado

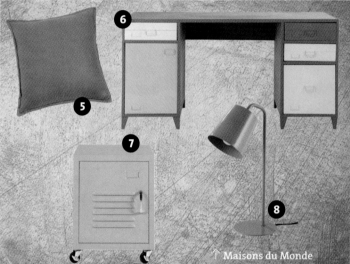

↑ Maisons du Monde   ↑ Maisons du Monde

Style vintage

- ☐ Bureau vintage en bois 4 tiroirs
- ☐ Coussin blanc
- ☐ Malle vintage
- ☐ Lampe de bureau en métal noir

Style industriel

- ☐ Table de chevet à roulettes en métal
- ☐ Bureau industriel en métal gris
- ☐ Lampe de bureau en métal gris
- ☐ Coussin en lin gris

 B Écoute la conversation entre Evann et sa mère et complète les phrases.

Piste 21

1. Le bureau industriel a **plus d**'..... pour le rangement.
2. La mère d'Evann croit que la table de chevet à roulettes est **plus** ..... que la malle.
3. Evann aime **plus** la ..... **que** la table de chevet à roulettes.
4. Evann et sa mère aiment **moins** le coussin ..... **que** le coussin ....
5. La mère d'Evann aime **autant** la lampe ..... **que** la grise.

 C Finalement, quels meubles et accessoires choisissent Evann et sa mère ? Pour quelles raisons ?

Piste 21

 D Et toi ? Quels sont les meubles et les objets que tu préfères ? Explique ton choix.

LES MATÉRIAUX

lampe en métal
bureau en bois
coussin en lin / coton...

⤍ p. 102

LES COMPARATIFS

Il a plus / moins / autant d'espace (que l'autre).

Elle est plus / moins / aussi pratique (que l'autre).

Il aime la table de chevet plus / moins /autant que la malle.

⤍ p. 100

4. LOGEMENTS INSOLITES

A **À quel logement insolite correspond chaque témoignage ?**

1. Nous avons contemplé les étoiles depuis notre lit. Nous y avons super bien dormi !
2. Nous y avons passé un excellent séjour ! Mais il ne faut pas avoir le vertige !
3. J'ai déjà dormi dans des maisons atypiques, mais celle-ci est la plus originale ! Et ce n'est pas une maison à l'origine !
4. J'y ai passé la meilleure nuit de ma vie ! Les pieds dans l'eau !

LE PRONOM **Y**

Vous êtes déjà allés en Bretagne ?

○*Oui, nous y avons passé des super vacances.*

···⟫ p. 100

⇡ Cabane dans les arbres (Camping Cap de Bréhat)

⇡ Bulles (Camping des cerisiers, Guillac)

LES SUPERLATIFS

C'est l'appartement le plus / moins original.

C'est la maison la plus / moins originale.

J'y ai passé la meilleure / pire nuit de ma vie.

C'est le logement / la maison que je préfère le plus.

C'est le logement / la maison que j'aime le moins.

···⟫ p. 100

⇡ Cabane sur pilotis (Aquashell)

⇡ Tonneau transformé en chambre d'hôte (Les Foudres de La Fouquais)

B **Et toi ? Quel logement préfères-tu ? Pourquoi ?**

C **Pense à un lieu, une maison ou une pièce que tu adores. Explique ce que tu y fais.**

J'adore ma chambre parce que je peux y écouter de la musique tranquillement. C'est aussi le meilleur endroit pour...

MINI-PROJET 2 : **REDÉCORER MA CHAMBRE**

1. Tu vas redécorer ta chambre. D'abord, choisis un style (gothique, nordique, ethnique...).
2. Trouve ou dessine cinq objets que tu aimes bien.
3. Fais une page de catalogue. Pour cela, découpe les objets et décris-les.

Chambre ethnique

❶ Pouf noir et blanc
❷ Meuble en bois
❸ Lampe en métal rouge
❹ Tapis coloré d'inspiration mexicaine
❺ Bureau en bois
❻ Coussin en coton blanc et jaune

···⟫ **Alternative numérique** Poster les images des objets sur un mur virtuel.

5. JE DOIS RANGER MA CHAMBRE !

 A **À quelle chambre (1 ou 2) correspondent ces phrases ?**

1. Elle est bien rangée.
2. Elle est en désordre.
3. La fenêtre est ouverte.
4. La fenêtre est fermée.
5. Le lit est fait.
6. Le lit est défait.
7. La chaise est renversée.
8. Le sol est propre.
9. Le sol est sale.

DÉCRIRE UNE PIÈCE

sale ≠ propre
fermé ≠ ouvert
bien rangé ≠ en désordre

↑ *La Chambre à Arles* (Van Gogh, 1888)

 B **Et toi ? Ta chambre est-elle en désordre ou bien rangée ? Pourquoi ?**

 C **Décris ta chambre avec ses meubles et objets.**
Dans ma chambre, il y a…

LE SAIS-TU ?

La Chambre à Arles (1888) est un tableau du peintre hollandais Vincent Van Gogh. Il a vécu une grande partie de sa vie en France et il y a peint quelques œuvres majeures.

 D **Regarde le tableau de la chambre en désordre. Que doit faire l'adolescent qui y vit ?**
Il doit passer l'aspirateur parce que le sol est sale.

EXPRIMER L'OBLIGATION

DEVOIR + INFINITIF
Je dois faire la vaisselle.

Je	dois
Tu	dois
Il / Elle	doit
Nous	devons
Vous	devez
Ils / Elles	doivent

⇢ p. 100

 1. Faire la vaisselle.

 2. Mettre la table.

 3. Faire le lit.

 4. Sortir les poubelles.

 5. Laver son linge.

 6. Passer l'aspirateur.

 7. Ranger la chambre.

6. KIFÉKOI ?

A Explique à quoi sert ce calendrier. As-tu déjà utilisé un calendrier similaire ?

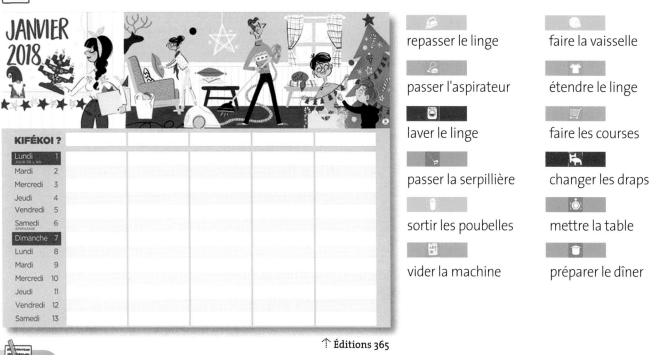

repasser le linge

faire la vaisselle

passer l'aspirateur

étendre le linge

laver le linge

faire les courses

passer la serpillière

changer les draps

sortir les poubelles

mettre la table

vider la machine

préparer le dîner

↑ Éditions 365

B Quelles sont les tâches à faire...

dans les chambres
dans la cuisine

TÂCHES

dans la salle de bains
à l'extérieur d'une maison

C Et toi, quelles tâches fais-tu à la maison ? Qui fait quoi chez toi ?

Moi, je m'occupe de ranger ma chambre et de sortir les poubelles. C'est ma mère qui fait les courses et mon père cuisine.

D En groupes, une personne mime une tâche ménagère et les autres devinent.

Passer l'aspirateur !

C'EST... QUI...

C'est mon père qui sort les poubelles.

C'est moi qui fais la cuisine le jeudi soir.

❗ On ne dit pas C'est moi qui ~~fait~~ la cuisine.

On aime :
Mettre la table III
Faire le lit IIIIII
...
On déteste :
Faire la vaisselle IIII
Sortir les poubelles II
...

MINI-PROJET 3 : **NOS TÂCHES MÉNAGÈRES**

1. Chacun écrit sur une feuille une tâche domestique qu'il déteste faire et une autre qu'il aime bien faire.

2. Deux élèves récupèrent les papiers et notent les résultats.

3. Quelle est la tâche ménagère la plus détestée de la classe ? Et la plus aimée ?

La tâche ménagère qu'on déteste le plus, c'est faire le lit !

┄➤ **Alternative numérique**
Faire une enquête en ligne et créer un graphique avec un logiciel.

GRAMMAIRE

A. Il y a, il n'y a que

Il y a (infinitif : **y avoir**) est une tournure impersonnelle. Elle indique la présence ou l'absence de quelqu'un ou de quelque chose. **Y avoir** se conjugue uniquement avec le pronom personnel sujet **il** et à tous les temps.

Maintenant, il y a un grand jardin, mais bientôt il va y avoir une piscine.

Il n'y a que exprime la restriction.

Il n'y a qu'une chambre. (= il y a seulement / uniquement une chambre)

> **1.** Fais des phrases comme dans l'exemple pour dire si, dans ta chambre, il n'y a qu'un ou plusieurs de ces objets et meubles.
>
> | lit | coussin | lampe | bureau |
> | fenêtre | porte | armoire |
> | livre | table de chevet |
>
> - Il n'y a qu'un lit.
> - Il y a deux coussins.

B. Les comparatifs

Quand on compare deux éléments, on indique si le premier est inférieur, égal ou supérieur au deuxième en qualité ou en quantité. Le deuxième élément peut-être sous-entendu.

La maison est moins / aussi / plus spacieuse que l'appartement.

	AVEC UN ADJECTIF	AVEC UN NOM	AVEC UN VERBE
SUPÉRIORITÉ	*Cet appartement est plus lumineux que l'autre.*	*Dans cet appartement, il y a plus de chambres que dans l'autre.*	*J'aime plus la lampe grise que la verte.*
ÉGALITÉ	*Cet appartment est aussi lumineux que l'autre.*	*Dans cet appartement, il y a autant de chambres que dans l'autre.*	*J'aime autant la lampe grise que la verte.*
INFÉRIORITÉ	*Cet appartment est moins lumineux que l'autre.*	*Dans cet appartement, il y a moins de chambres que dans l'autre.*	*J'aime moins la lampe grise que la verte.*

! Bon ⟶ **meilleur** ; mauvais ⟶ **pire** ; bien ⟶ **mieux**

> **2.** Avec un(e) camarade, comparez vos chambres. Pour cela, reprenez leurs descriptions (activité 5C).
>
> Dans ma chambre, il y a plus de meubles.

PHONÉTIQUE

On prononce **plus** de deux manières différentes : **[ply]** ou **[plys]**.

On prononce **[ply]** quand on compare des adjectifs ou des adverbes : *Il est plus grand. / Il se lève plus tôt.*

! Quand **plus** est placé avant un mot commençant par une voyelle ou un –h muet, on fait la liaison **[z]** :

La chambre est plus étroite.
  [z]

3. Écoute et coche la case correspondant à ce que tu entends.

Piste 22

	[ply]	[plys]	[plyz]
1			
2			
3			
4			

C. Le superlatif

Le superlatif indique l'infériorité ou la supériorité d'un élément par rapport à la totalité de l'ensemble qui est introduit par **de**.

SUPÉRIORITÉ	INFÉRIORITÉ
le / la / les plus + adjectif (**de**) *C'est le bâtiment le plus beau de la ville.*	**le / la / les moins** + adjectif (**de**) *C'est la lampe la moins chère.*
verbe + **le plus** (**de**) *C'est le bâtiment que j'aime le plus.*	verbe + **le moins** (**de**) *C'est la lampe que j'aime le moins.*

4. **Complète les phrases pour comparer ces bâtiments. Fais des recherches sur Internet si nécessaire.**

a. La tour Agbar est le bâtiment ..... haut.

b. Le Colisée est ..... moderne.

c. L'Opéra de Sydney est ..... visité par les touristes.

5. **Quel est le bâtiment que tu aimes le plus ? Et le moins ?**

D. Le pronom *y*

Y permet de remplacer un complément de lieu (qu'on trouve en posant la question **où ?**). Il se place entre le sujet et le verbe qu'il complète.

• *Il habite à Paris ?* (Il habite où ? À Paris.)

◦ *Oui, il y habite depuis 2 ans.*

⚠ On dit :

On y va ! / Allons-y ! pour lancer le départ.
J'y vais ! pour indiquer qu'on part ou la fin d'une conversation.

6. **Remplace les compléments de lieu en gras par *y*, comme dans l'exemple.**

a. Nous sommes allés **en Bretagne** cet été. ⇥ *Nous y sommes allés cet été.*

b. J'aime rester **dans ma chambre** pour écouter de la musique. ⇥

c. Ils habitent **dans une maison écologique** toute l'année. ⇥

7. **Sur ce modèle, écris des phrases pour faire deviner des pièces de la maison.**

• *On s'y brosse les dents et on s'y douche.*
◦ *C'est la salle de bains.*

E. Exprimer l'obligation : *devoir* + infinitif

Pour exprimer l'idée d'obligation, de contrainte imposée à la personne ou que la personne s'impose, on peut employer **devoir** + infinitif.

Je dois ranger ma chambre. (= parce que mes parents m'y obligent ou parce que je me l'impose)

8. **Complète ce dialogue entre un frère et une sœur avec le verbe *devoir* à la forme qui convient.**

LOUISE : Qui ..... passer l'aspirateur, cette semaine ?

MARTIN : Les parents. Toi, tu ..... sortir les poubelles.

LOUISE : Non, c'est toi qui ..... sortir les poubelles ! Moi, je ..... aussi ranger ma chambre et faire mon lit.

MARTIN : Ah, oui, c'est vrai ! Et cette semaine, nous ..... mettre la table.

LOUISE : Oui, je sais.

A. Les adjectifs pour décrire une maison

1. Complète les phrases avec ces adjectifs.

> joli(e)   petit(e)   propre
>
> grand(e)   lumineux(euse)

a. J'adore la décoration de ma chambre. Elle est .....

b. On ne peut pas être à deux dans ma salle de bain. Elle est .....

c. Dans mon salon, il y a deux canapés et deux grandes tables basses. Il est .....

d. La chambre est bien rangée et le sol est ....., il n'y a rien par terre !

e. L'appartement de mon cousin est très petit, mais il est ..... : il est au cinquième étage et toutes les chambres ont de grandes fenêtres !

2. Ajoute dans les phrases précédentes ces adjectifs d'intensité.

> super   hyper   toute

B. Les pièces et les meubles

3. Comment s'appellent ces meubles ? Dans quelle pièce les trouve-t-on ?

4. Crée ta carte mentale. Écris les mots que tu veux retenir de cette unité et ajoute des photos et des dessins.

Les types de logement

un appartement

une maison

une cabane

Les pièces de la maison

le salon

la cuisine

la salle de bain

la chambre

le jardin

la terrasse

le balcon

la piscine

Les objets de la maison

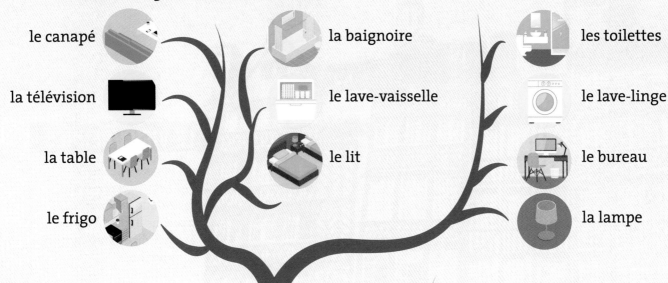

le canapé

la télévision

la table

le frigo

la baignoire

le lave-vaisselle

le lit

les toilettes

le lave-linge

le bureau

la lampe

LA MAISON

Les matériaux

une table en bois
métal
verre
plastique

un coussin en coton
lin
laine
cuir

Les tâches ménagères

faire la vaisselle

mettre la table

 passer l'aspirateur

faire le lit

 ranger la chambre

sortir les poubelles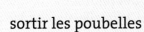

 repasser

laver le linge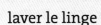

 faire les courses

FENÊTRE SUR ~ JOURNAL EN LIGNE ~

↑ Maisons à colombages

LE VIEUX RENNES

On appelle « le vieux Rennes » le centre-ville historique de Rennes. Les maisons à colombages de la place du Champ-Jacquet sont typiques.

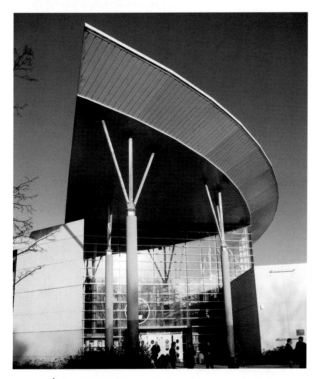

↑ Entrée du bâtiment de langues

↑ Campus de Villejean

UNE VILLE ÉTUDIANTE

Avec 67 000 étudiants sur trois campus et une cinquantaine d'écoles d'enseignement supérieur, Rennes est une métropole étudiante. Elle est considérée comme étant l'une des meilleures villes de France pour étudier. Son centre-ville est très animé et fréquenté par les étudiants le week-end, notamment la rue Saint-Michel où il y a de nombreux bars.

1. Regarde les photos. Quels sont les bâtiments que tu aimes le plus ? Pourquoi ?

2. Lis le texte et complète ces phrases sur Rennes.

a. Rennes est .....
b. À Rennes, il y a .....
c. Rennes est une ville intéressante pour .....

3. Cherche sur Internet des photos de bâtiments réalisés par Jean Nouvel. Laquelle aimes-tu le plus ? Pourquoi ?

4. Quels autres pays ou régions ont des origines et des traditions celtiques ? Cherche des informations sur Internet.

Dans ce numéro, Evann nous parle de la ville de Rennes.

CAP MAIL

Rennes est aussi une ville très dynamique et moderne. L'architecte français Jean Nouvel a conçu un immeuble d'habitation très original situé sur les bords du fleuve Vilaine.

↑ Cap Mail , Jean Nouvel

L'IDENTITÉ BRETONNE ET CELTE

Les symboles bretons les plus connus sont le drapeau « gwenn-ha-du » (« blanc et noir » en langue bretonne, une langue celtique) et le triskell (un symbole celte). L'instrument typique est le biniou, une cornemuse.

Journaliste en herbe !

Prépare une exposition de photos de maisons ou bâtiments importants de la ville où tu habites ou de ta ville préférée.

La maison

→ Cite un logement insolite pour passer un week-end en Bretagne.

→ Charades :

1
a. Mon premier est « cela ».
b. Mon second n'est pas court.
c. Mon tout est une pièce de la maison. Qui suis-je ?

2
a. Mon premier n'est pas propre.
b. Mon second est compris entre 1 et 3.
c. Mon troisième est ce que je prends dans la baignoire.
d. Mon tout est une pièce de la maison. Qui suis-je ?

→ Qui a peint ce tableau ?

La Bretagne

→ Cite les deux couleurs que l'on trouve sur le drapeau breton.

→ Quel nom donne-t-on au centre historique de Rennes ?

→ Complète ces phrases sur la ville de Rennes.
a. Rennes est une ville é..... .
b. Dans le vieux Rennes, il y a des maisons à c..... .
c. À Rennes, il y a un immeuble d'habitation en verre appelé C..... de l'architecte J..... .

MON PROJET FINAL : **VISITE D'UN LOGEMENT**

VOUS ALLEZ FILMER LA VISITE D'UN LOGEMENT

1. En groupes de trois, choisissez quel logement vous allez présenter.

2. Filmez la visite du logement : présentez quelques pièces et donnez les avantages et les qualités de ce logement (confort, équipement, situation...).

3. Regardez les vidéos des autres élèves de la classe. Quelle est la présentation que tu aimes le plus ? Pourquoi ?

···> **Alternative numérique**
Présenter un logement imaginaire : choisir des photos et faire une vidéo en forme de diaporama.

C'est une maison mitoyenne, qui est située face à la mer. Elle a un petit jardin et une terrasse. Elle est très lumineuse et moderne. Elle a trois chambres, une cuisine, un salon et deux salles de bains. Une salle de bains est beaucoup plus grande et lumineuse que l'autre. Les chambres...

DNL En classe d'éducation aux médias

D'où vient l'info ?

Les médias sont des moyens de communication qui diffusent des informations destinées à un large public. Leur rôle est d'informer et de divertir. Découvrons la diversité des médias d'actualité.

A. D'où vient l'info ? Légende les images.

le journal télévisé   l'article de presse   le dessin   le tweet   l'émission radio

Lena Frilu   🐦 Suivre

Tout à fait @Manon Tribote et @Thibault H. Pour moi, le dessin d'Ophélie illustre très bien l'absurdité de tout prendre en photo. En fait, je suppose qu'on passe plus de temps à se montrer qu'à profiter des choses.

00:20 - 4 Nov 2015   ← ↻ ♡ 6

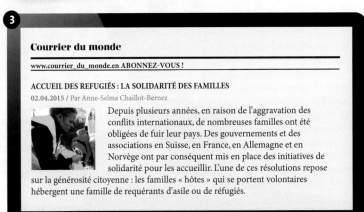

Courrier du monde

www.courrier_du_monde.en ABONNEZ-VOUS !

ACCUEIL DES REFUGIÉS : LA SOLIDARITÉ DES FAMILLES
02.04.2015 / Par Anne-Selma Chaillot-Bernez

 Depuis plusieurs années, en raison de l'aggravation des conflits internationaux, de nombreuses familles ont été obligées de fuir leur pays. Des gouvernements et des associations en Suisse, en France, en Allemagne et en Norvège ont par conséquent mis en place des initiatives de solidarité pour les accueillir. L'une de ces résolutions repose sur la générosité citoyenne : les familles « hôtes » qui se portent volontaires hébergent une famille de requérants d'asile ou de réfugiés.

B. Cherche la une d'un journal français. Observe-la et réponds aux questions.
1. Quel est le titre de ce journal ?
2. Quelle est la date de parution ?
3. Quelles sont les différentes rubriques ?
4. Quelle rubrique t'intéresse le plus ?

UNITÉ 7
Fictions

⬆ *Test Avez-vous déjà lu ?* Margaud liseuse (2014)

⬆ Dakar, Sénégal

LEÇON 1

Je parle de livres, de films et de séries

- Les genres narratifs
- Les types de films
- Poser des questions avec **quel(s), quelle(s)**
- Exprimer les sentiments
- Exprimer son opinion : **je trouve que..., je crois que..., je trouve ça ennuyeux / super...**

Mini-projet 1

Interviewer un(e) camarade et définir son profil de lecteur / spectateur.

LEÇON 2

Je raconte des histoires

- L'imparfait : forme et emploi
- Les marqueurs temporels : **le lendemain** et **la veille**
- **Ne... plus**

Mini-projet 2

Raconter un conte et m'enregistrer.

LEÇON 3

Je résume les thèmes de livres, films et séries

- Résumer une histoire de fiction et donner son avis
- Recommander un livre, un film ou une série
- Poser des questions : les différents types de questions

Mini-projet 3

Faire une liste des 10 livres et films préférés de la classe.

FENÊTRE SUR

Je découvre trois écrivains sénégalais.

PROJET FINAL

DEVENIR DES YOUTUBEURS : RECOMMANDER UN LIVRE, UN FILM OU UNE SÉRIE

Salut ! Je m'appelle Fatou et j'habite à Dakar, la capitale du Sénégal. Dans cette unité, on va raconter des histoires.

Dakar

Fatou
Salut Amadou ! Comment vas-tu ? Tu fais quoi ?
√17:13

Amadou
Salut, ça va bien ! Je lis un poème qu'il faut étudier pour la semaine prochaine.
√17:14

Fatou
Ah ouais ? Tu es bien sérieux ! Il parle de quoi ce poème ?
√17:16

Amadou
Ben... il s'appelle « Poème à mon frère blanc » et il parle de la couleur de la peau.
√17:31

Fatou
Ah oui, je le connais, il est célèbre. Et après, qu'est-ce que tu vas faire ?
√17:32

Amadou
Eh ben, j'ai un entraînement de foot.
√17:45

Fatou
D'accord, on se voit plus tard !
√17:47

En route !

1. Où habitent Fatou et Amadou ?

2. Que lit Amadou ? De quoi ça parle ?

3. Et toi ? Est-ce tu lis quelque chose en ce moment ?

4. Regarde la vidéo et note les 6 questions que pose Margaud.

1. Avez-vous déjà lu en marchant ?

5. Imaginez maintenant deux autres questions qui commencent par « Avez-vous déjà lu / vu... ? ».

6. En petits groupes, répondez aux questions des activités 4 et 5.

• Avez-vous déjà lu dans votre bain ?
○ Non, jamais, c'est trop compliqué !

1. J'ADORE LES FILMS DE SCIENCE-FICTION

A **En petits groupes, répondez aux questions suivantes :**
- Tu aimes lire ?
- Quel est le dernier livre que tu as lu ? Tu l'as aimé ou non ? Pourquoi ?

B **Réponds à ce sondage, puis comparez vos réponses en petits groupes et trouvez vos points communs.**

Accueil > Sondage : La fiction et toi >

SONDAGE :
La fiction et toi

1. Que préfères-tu lire ?

○ un roman
○ un recueil de poèmes
○ un BD
○ un conte

2. Quel type de film préfères-tu regarder ?

○ un film d'animation
○ un film
○ un court-métrage (film court)
○ Aucun film, je préfère les séries.

3. Quels genres aimes-tu le plus ?

○ d'horreur   ○ fantastique   ○ policier
○ romantique   ○ d'aventures   ○ de science-fiction
○ historique   ○ biographique

4. Quels genres aimes-tu le moins ?

○ d'horreur   ○ fantastique   ○ policier
○ romantique   ○ d'aventure   ○ de science-fiction
○ historique   ○ biographique

5. Quel est ton personnage de fiction préféré ? (film, livre, série...)

6. Quelle histoire de fiction t'a marqué(e) ?

Moi, je lis surtout des romans. Et toi ?

LES GENRES NARRATIFS

Un roman...
- de science-fiction
- fantastique
- d'horreur
- policier
- d'amour
- d'aventures
- biographique

···→ p. 118

LES FILMS

LES GENRES
Un film...
- d'horreur
- d'aventures
- historique
- policier

Une comédie romantique

LES TYPES
Un long-métrage
Un court-métrage

Une série

···→ p. 118

C **Deux adolescents parlent de fiction. Écoute-les et complète le tableau.**

Piste 23

	Titre	Type de fiction (livre, film ou série)	Genre
Valentin			
Camille			

ASTUCE

Ce n'est pas nécessaire de tout comprendre quand tu écoutes. Concentre-toi sur les informations dont tu as besoin (écoute sélective).

2. JE TROUVE ÇA CHOUETTE !

 A **Écoute la conversation entre Emma et un ami. De quoi parlent-ils ?**

Piste 24

 B **Ces phrases correspondent à Emma ou à son ami ?**

Piste 24

Emma...	Éric...	
		a. a lu les poèmes de Senghor.
		b. pense que la poésie, c'est ennuyeux.
		c. trouve ça chouette la poésie.
		d. lit les contes *Amadou Koumba* en ce moment.
		e. a envie de lire les contes *Amadou Koumba*.
		f. trouve les contes *Amadou Koumba* super intéressants.
		g. va voir un conteur.
		h. trouve que c'est génial de voir un conteur.

 C **Complète ces phrases pour parler de tes goûts et de tes intérêts.**

1. ....., ça m'intéresse.
2. ..... m'ennuie.
3. Je trouve ..... amusant.
4. Je pense que ..... , c'est très intéressant.
5. Je pense que ....., ce n'est pas terrible.

EXPRIMER SON OPINION

Les films romantiques, je trouve ça super / ennuyeux...

La poésie, ça m'ennuie / m'intéresse / m'amuse...

Je pense que / trouve que la poésie, c'est intéressant / ennuyeux / amusant...

Je pense que / trouve que regarder la télé chaque soir, ce n'est pas terrible / intéressant...

⟶ p. 118

EXPRIMER SES SENTIMENTS

J'ai du mal à comprendre les poèmes.
J'ai envie de lire des contes sénégalais.

⟶ p. 118

MINI-PROJET 1 : MON PROFIL DE LECTEUR / SPECTATEUR

1. Lis ces 5 profils de lecteur / spectateur, puis écris des questions à poser à un(e) camarade de classe pour décider quel est son profil.

2. Pose-lui les questions, puis définis son profil. Tu peux créer un autre profil, si nécessaire.

 **Fan de séries :** Tu as tout le temps envie de regarder des séries. Tu trouves ça super chouette et tu as du mal à arrêter ton ordi ou ta télé.

 **Cinéphile :** Tu adores aller au ciné pour regarder tous les genres de films. Tu penses que rester devant son ordi pour regarder des séries, c'est très ennuyeux.

 Bédévore : Les BD ou les mangas sont les livres les plus intéressants pour toi. Chaque semaine tu trouves des nouveautés.

 **Fou des youtubeurs :** Chaque jour, tu regardes des vidéos sur Internet pour apprendre ou pour t'amuser. Les livres ? Tu as du mal à les lire jusqu'à la fin.

 **Grand lecteur :** Tu te sens bien quand tu lis. Tu lis à chaque occasion : dans les transports, au lit, quand tu manges... Et tu lis tout ce que tu trouves : magazines, livres...

⟶ **Alternative numérique**
Préparer un questionnaire en ligne.

3. LA NOUVELLE RÉALISTE

 A Regarde cette couverture et décris-la.

CLAIRE JOANNE
LA RENCONTRE

LE SAIS-TU ?

Une nouvelle réaliste est une histoire courte qui parle de la vie ou d'un moment de la vie d'un personnage. C'est donc une histoire très proche du monde réel. Voici ses ingrédients :

- des descriptions des lieux, des personnages et des émotions ressenties par les personnages ;
- des dialogues qui reflètent la réalité.

 B Lis le début de cette nouvelle. À ton avis, qui est sur le banc ?

Je rentrais du collège en passant par le parc, comme tous les jours, et soudain, il était là, devant moi.

C'était la première fois que je le voyais. Il était si beau que je me suis arrêtée à quelques mètres, bouche bée... Mon cœur battait à cent à l'heure !

Assis tranquillement sur un banc, il regardait les promeneurs l'air indifférent. J'aurais voulu aller lui parler mais avant que je ne m'approche de lui, il s'est levé et il est parti. Je n'ai pas osé le suivre... Alors, je suis rentrée chez moi.

Toute la soirée, son image m'a poursuivie... Ses beaux yeux verts, son allure nonchalante. Je n'arrivais pas à me concentrer sur autre chose et il m'a fallu du temps pour finir mes devoirs...

Le lendemain, j'espérais tellement le revoir que j'avais comme une boule dans le ventre ! J'ai marché lentement, très lentement dans le parc jusqu'au banc où je l'avais aperçu la veille. Il était là !

L'IMPARFAIT : FORME

AVOIR

J'	avais
Tu	avais
Il / Elle	avait
Nous	avions
Vous	aviez
Ils / Elles	avaient

--> p. 116

L'IMPARFAIT : EMPLOI

L'imparfait sert à décrire une situation, quelqu'un ou quelque chose dans le passé.
Il était beau.

--> p. 116

 C Dans le texte de l'activité B, il y a un nouveau temps, l'imparfait. Entoure tous les verbes à l'imparfait et écris l'infinitif correspondant. Dans ta langue, y a-t-il un temps du passé similaire ?

 D En groupes, imaginez une fin à l'histoire. Puis écoutez la fin. Qui a la fin la plus proche de l'originale ?
Piste 25

 E Décris une rencontre comme dans cette histoire. Puis, ton / ta voisin(e) devine de quoi ou de qui tu parles.

J'étais dans la rue. Il était là, à côté de chez moi. Il avait...

7

4. LA HYÈNE ET L'AVEUGLE

A Un griot raconte un conte traditionnel sénégalais. Écoute-le et remets les dessins dans l'ordre.

Piste 26

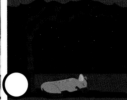

LE SAIS-TU ?

Le griot est une personne importante dans certaines cultures africaines. C'est un conteur qui raconte des histoires devant un public, souvent pendant les fêtes. Il est théâtral et utilise une voix différente pour chaque personnage.

B Associe chaque texte à l'image qui correspond.

a. Un jour, la hyène est allée parler à l'aveugle. Elle lui a proposé d'être aveugle à sa place. En échange, l'aveugle lui a appris les formules magiques.

b. La hyène n'avait plus rien à manger et elle avait très faim.

c. Le lendemain, la hyène a essayé de dire les formules magiques, mais rien ne sortait de sa bouche. Elle ne les connaissait plus !

d. La hyène a récité les formules magiques et elle a rempli ces sacs de nourriture.

e. Chaque fois que l'hyène passait dans les rues du village, elle voyait un aveugle debout, à l'entrée des maisons. Il récitait des formules et les gens lui donnaient de la nourriture.

f. Le soir, la hyène s'est couchée.

LES MARQUEURS TEMPORELS

Le lendemain (= le jour d'après) *de la fête, il était très fatigué.*

Le lendemain (= le jour d'après) *de la fête, il va être très fatigué.*

La veille (= le jour d'avant) *du voyage, j'ai mal dormi.*

La veille (= le jour d'avant) *du voyage, je vais mal dormir.*

⟶ p. 116

C As-tu aimé ce conte ? Pourquoi ?

NE... PLUS

Elle n'avait plus rien à manger.
Elle ne voyait plus.

D Quelle était ton histoire préférée quand tu étais petit(e) ?

Moi, j'adorais « Les Trois Petits Cochons ».

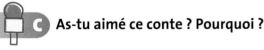

MINI-PROJET 2 : **RACONTER UN CONTE**

1. Choisis un conte populaire que tu aimes bien.

2. Cherche une version courte en français.

3. Lis plusieurs fois le conte à voix haute, articule bien, change ta voix s'il y a différents personnages.

4. Quand tu es prêt(e), enregistre-toi.

5. Écoute ton enregistrement avec tes camarades. Comment peux-tu améliorer ta façon de raconter ?

Il était une fois un homme qui avait de belles maisons à la ville et à la campagne...

⟶ **Alternative numérique**
Créer un avatar qui raconte ton histoire.

5. À NE PAS RATER !

A Regarde l'affiche et la couverture. En groupes, imaginez de quoi parlent le livre et le film.

B Lis ces résumés et associe-les au film ou au livre.

1 Ça se passe au Sénégal et en France. C'est l'histoire de Mytri, un jeune garçon de 15 ans, très fort en foot et qui est repéré par un agent. Il propose beaucoup d'argent à sa grand-mère pour l'emmener en France. Arrivé à Paris, la situation n'est pas comme il le croyait...

2 L'histoire se passe dans un lycée. Ça parle d'un groupe de lycéens et de profs qui se retrouvent une heure chaque semaine, après les cours, pour un atelier d'écriture. Les émotions sont fortes, les relations entre les participants changent et se renforcent...

C Écoute maintenant ces huit critiques et dis si elles sont positives ou négatives. Aide-toi des intonations.

Piste 27

D À propos de quels livres ou films tu pourrais faire les affirmations suivantes ?
1. C'est un chef d'œuvre. **3.** C'est interminable.
2. C'est nul. **4.** Il faut le voir.

Pour moi, « Le Parrain » est un chef d'œuvre.

6. JE KIFFE LES SÉRIES !

 A Sam est un fan de séries. Lis ses réponses à des questions posées dans deux interviews différentes. As-tu des points communs avec lui ?

Alors Sam, quel type de séries aimes-tu ?

Moi, je suis un grand fan des séries américaines de science-fiction comme *Stranger things*. J'adore aussi les séries un peu historiques comme *Game of Thrones* ou *Vikings* avec des beaux paysages, c'est trop bien !

Tu les regardes quand ?

Ben, dès que c'est possible. Souvent, le soir avant de dormir et puis le week-end bien sûr.

Tu regardes combien d'épisodes à la suite ?

Oh la la ! Je ne peux pas le dire, c'est un truc de fou ! Je regarde parfois des saisons entières en un week-end !

Avec qui partages-tu ta passion ?

En fait, je regarde souvent mes séries tout seul, comme ça je suis tranquille. Mais bon, parfois mon frère et ma sœur veulent voir les mêmes épisodes que moi, alors on les regarde ensemble.

Tu recommandes quelle série ?

Ouf ! C'est difficile à dire. Il y a tant de super séries. Ben, je vous conseille de voir *Stranger Things* ! Il faut voir ça absolument !

PARLER DES SÉRIES

une saison (entière)

voir un épisode

LES DIFFÉRENTS TYPES DE QUESTION

FORMEL :
Quand regardes-tu des séries ?

STANDARD :
Quand est-ce que tu regardes des séries ?

INFORMEL :
Tu regardes des séries quand ?

⟶ p. 116

ASTUCE

Beaucoup de langues ont leurs moyens pour marquer les degrés de formalité.
Dans ta langue y a-t-il différents types de question selon la situation ?

 B Trois des questions précédentes ont été posées par un ami blogueur de Sam et deux, par un journaliste. À ton avis, qui pose quelles questions ? Pourquoi ?

 C Écris deux questions sur deux petits papiers pour connaître mieux tes camarades. Mélangez les papiers, puis chacun en pioche un et réponds à la question.

Tu vas où en vacances, normalement ?

⟶ **Alternative numérique**
Publier la liste sur un blog de la classe et écrire des commentaires.

MINI-PROJET 3 : LES LIVRES ET LES FILMS DE LA CLASSE

1. Pense à un film et un livre que tu aimes. Écris un synopsis du film et un résumé du livre (quelques lignes).

2. En petits groupes ou en groupe-classe, faites une liste commune avec vos recommandations. Classez-les par genre (historique, romantique, d'aventures...).

3. Quels films et livres vous intéressent ? Pourquoi ?

Comédie romantique : Primos (2001)
Film fantastique : Twilight (2010)
Science-fiction : Valérian (2017)
Film d'aventures : Harry Potter (2002)
Film policier : Baby driver (2017)
Documentaire : Rio Corgo (2017)

A. L'imparfait

Pour former l'imparfait, on ajoute **-ais**, **-ais**, **-ait**, **-ions**, **-iez**, **-aient** à la base du verbe à la 1ᵉ personne du pluriel de l'indicatif présent.

	AVOIR (AV**ONS**)
J'	av**ais**
TU	av**ais**
IL / ELLE	av**ait**
NOUS	av**ions**
VOUS	av**iez**
ILS / ELLES	av**aient**

! Seule exception : **être**

	ÊTRE
J'	étais
TU	étais
IL / ELLE	était
NOUS	étions
VOUS	étiez
ILS / ELLES	étaient

L'imparfait est un temps simple du passé. Il indique une action ou un état dont on ne précise pas les bornes temporelles (début et fin). Il permet :

• de parler d'une habitude dans le passé.

Avant, je lisais beaucoup de BD.

• de décrire des personnes, des lieux et des situations dans le passé.

Il lisait sur un banc. Il était très beau !

1. Conjugue les verbes suivants à l'imparfait.

a. marcher ⇢ je .....
b. pouvoir ⇢ elle .....
c. jouer ⇢ il .....
d. regarder ⇢ nous .....
e. parler ⇢ ils .....
f. écrire ⇢ vous .....

2. Écris le verbe *faire* à l'imparfait.

	FAIRE
JE	.....
TU	.....
IL / ELLE	.....
NOUS	.....
VOUS	.....
ILS / ELLES	.....

3. Transforme le texte suivant au passé.

J'adore les animaux : j'ai deux chiens, trois chats, un lapin et une poule. J'aime bien m'amuser avec des amis. Je fais du vélo tous les samedis et je joue aux échecs avec mon père. Par contre, je déteste visiter des musées !

Quand j'étais petit(e), *j'adorais les animaux...*

4. Imagine que tu découvres ces endroits. Décris la situation au passé, en utilisant l'imparfait.

B. Les marqueurs temporels

On peut indiquer le moment d'une action par rapport au moment présent ou par rapport à un autre moment.

	ACTION PASSÉE	ACTION FUTURE
Par rapport au moment présent	hier avant-hier	demain après-demain
Par rapport à un autre moment	la veille l'avant-veille	le lendemain le surlendemain

Pour indiquer une habitude :
- Le **lundi / mardi / mois d'avril**...
- Tous les **lundis / mardis / mois d'avril**...
- Toutes les **semaines / ans**...
- Chaque **jour / semaine / année**...

5. Associe ces mots avec leur synonyme.

1. le lendemain
2. la veille
3. l'avant-veille
4. le surlendemain

a. le jour d'avant
b. le jour d'après
c. deux jours avant
d. deux jours après

6. Complète l'histoire avec *le lendemain, la veille* et *l'avant-veille*.

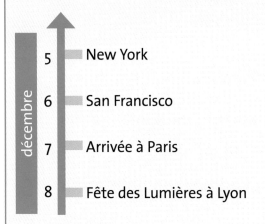

5 — New York
6 — San Francisco
7 — Arrivée à Paris
8 — Fête des Lumières à Lyon

décembre

Ma tante est arrivée chez nous le 7 décembre. ....., elle était à New York et ....., à San Francisco. Elle était donc très fatiguée, mais elle n'a pas pu se reposer parce que ....., nous sommes tous partis à Lyon pour rendre visite à mon autre tante et pour voir la fête des Lumières.

C. Poser des questions

Quand on demande des informations, on peut poser des questions sur un aspect en utilisant des mots interrogatifs. C'est ce qu'on appelle l'interrogation partielle.

Qui est ce garçon ?

Combien d'heures par semaine tu regardes des séries ?

Pourquoi tu n'aimes pas ce livre ?

Il existe trois façons de poser des questions partielles. Ces trois façons correspondent à des « manières de parler » différentes. De la plus formelle à la plus familière.

INVERSION VERBE - SUJET	*Où vas-tu ? / Que fais-tu ?*
AJOUT DE *EST-CE QUE*	*Où est-ce que tu vas ?* *Qu'est-ce que tu fais ?*
MOT INTERROGATIF À LA FIN	*Tu vas où ?* *Tu fais quoi ?*

7. Pose ces questions de manière différente, comme dans l'exemple.

a. Où es-tu né ? ⟶
Où est-ce que tu es né ?
Tu es né où ?

b. Pourquoi vis-tu en France ?
c. Quand finis-tu tes études ?
d. Qu'aimes-tu faire ?
e. Qui est ton chanteur préféré ?

PHONÉTIQUE

8. Écoute ces phrases et répète-les en imitant l'intonation.

Piste 28
a. Tu les regardes quand ?
b. Tu regardes combien d'épisodes ?
c. Tu recommandes quelle série ?
d. Tu les regardes avec qui ?

A. Les genres

1. **Quel type de roman ou de film pourrais-tu recommander aux personnes suivantes ?**

a. J'adore avoir peur.

b. J'aime rire.

c. J'aime imaginer le monde du futur.

d. J'adore les histoires des gens qui tombent amoureux.

e. J'aime tout ce qui est magique.

f. J'aime bien résoudre des mystères.

B. Exprimer son opinion

2. **Complète ces phrases avec les adjectifs suivants.**

chouette   ennuyeux

nul   terrible

a. J'aime le cirque, je trouve ça .....

b. J'attendais plus de ce film, ce n'est pas .....

c. Les romans historiques, je n'arrive jamais à les finir, c'est ....., je m'endors !

d. Il est trop mauvais, c'est vraiment .....

C. Résumer le thème d'une histoire

3. **Pense à un livre, un film ou une série que tu connais. Complète ces phrases pour résumer le thème de l'histoire.**

Ça parle de .....

Ça se passe à ....., en .....

C'est un / une .....

Ce sont des .....

« Julieta », d'Almodóvar. Ça parle d'une femme et de sa relation avec sa fille. C'est une femme...

4. **Crée ta carte mentale.** Écris les mots que tu veux retenir de cette unité et ajoute des photos et des dessins.

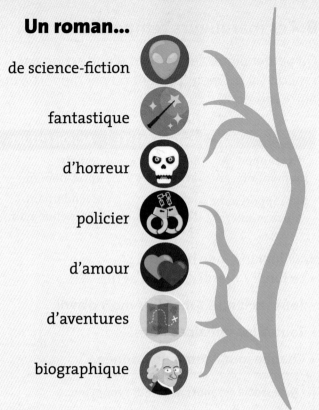

Un roman...

de science-fiction

fantastique

d'horreur

policier

d'amour

d'aventures

biographique

Les genres

Un film

d'horreur

d'aventure

historique

policier

La comédie romantique

Exprimer les sentiments

J'ai du mal à lire / voir...

J'ai envie de faire / voir...

Le thème

Ça parle d'une fille / d'un garçon...

C'est l'histoire d'une fille / d'un garçon...

Le lieu ou la période

Ça se passe à Berlin / Paris.

L'histoire se passe en 2090 / 1800...

Parler des personnages

C'est un garçon / une fille qui a 13 ans...

Le résumé d'un livre ou d'un film

Exprimer son opinion

Ça m'ennuie. = Je trouve ça ennuyeux.

Ça m'intéresse. = Je trouve ça intéressant.

Ça m'amuse. = Je trouve ça amusant / chouette.

Ce n'est pas terrible.

FICTIONS

Recommander un film ou un livre

Il faut le voir / lire absolument !

Je vous le conseille !

C'est à voir / lire !

À ne pas rater !

La critique de livre ou de film

La critique positive

L'histoire est trop bien.

C'est un chef-d'œuvre !

C'est très réussi.

J'ai accroché !

Les personnages sont super !

On ne s'ennuie pas.

La critique négative

C'est une perte de temps !

C'est vraiment nul !

Interminable !

Très décevant !

FENÊTRE SUR ~ JOURNAL EN LIGNE ~

LÉOPOLD SÉDAR SENGHOR

Léopold Sédar Senghor (1906, Sénégal - 2001, France) a été enseignant, homme politique, poète et écrivain de langue française. Il a vécu son enfance et adolescence au Sénégal et il a fait ses études supérieures en France avant de devenir le premier président du Sénégal (1960-1980). Il a encouragé la création de la Francophonie et il est l'auteur de l'hymne du Sénégal.

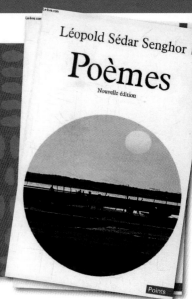

POÈME À MON FRÈRE BLANC

Cher frère blanc,
Quand je suis né, j'étais noir,
Quand j'ai grandi, j'étais noir,
Quand je suis au soleil, je suis noir,
Quand je suis malade, je suis noir,
Quand je mourrai, je serai noir.
Tandis que toi, homme blanc,
Quand tu es né, tu étais rose,
Quand tu as grandi, tu étais blanc,
Quand tu vas au soleil, tu es rouge,
Quand tu as froid, tu es bleu,
Quand tu as peur, tu es vert,
Quand tu es malade, tu es jaune,
Quand tu mourras, tu seras gris.
Alors, de nous deux,
Qui est l'homme de couleur ?

✆ Léopold Sédar Senghor

1. Lis les textes. Y a-t-il un livre que tu aimerais lire ? Pourquoi ?

2. Connais-tu d'autres exemples de personnes qui ont été politiques et écrivains ? Fais des recherches sur Internet.

3. Beaucoup de francophones connaissent *Poème à mon frère blanc*. Quels sont les poèmes que tu as appris par cœur à l'école ?

4. Lis le poème *Poème à mon frère blanc* et réponds aux questions.

a. Qu'est-ce qui est comparé dans ce poème ?
b. Quelle est la conclusion du poème ?
c. Qu'est-ce que tu penses de ce poème ?

Dans ce numéro, Fatou nous parle de trois écrivains sénégalais.

FATOU DIOME
LE VENTRE DE L'ATLANTIQUE

FATOU DIOME

Fatou Diome est née en 1968 au Sénégal. Elle a vécu son enfance et adolescence dans son pays natal et, maintenant, elle habite en France. Elle est écrivaine et enseignante. Elle écrit sur l'immigration et sur la relation entre la France et l'Afrique.

LES NOUVEAUX CONTES d'Amadou Koumba
par birago diop

BIRAGO DIOP

Birago Diop était un écrivain sénégalais. Il est né près de Dakar en 1906 et mort en 1989. Il était très influencé par la tradition orale de son pays et il a écrit des contes où les personnages sont souvent des animaux.

Journaliste en herbe !

Choisis un(e) écrivain(e) que tu aimes bien et écris une petite biographie et le résumé d'un de ses livres.

QUESTIONNAIRE CULTUREL
Teste tes connaissances ! ??

Le Sénégal

→ Quelle est la capitale du Sénégal ?

→ Quel est le genre littéraire de *La Hyène et l'aveugle* ?
   a. la nouvelle
   b. le conte
   c. le manga

→ Complète la fiche de Senghor.

> Pays de naissance :
> Année de naissance :
> Profession :

→ Qu'est-ce qu'un griot ?
   a. un conteur
   b. un médecin
   c. un politicien

Les livres et les films

→ Quels sont les ingrédients de la nouvelle réaliste ?

→ Quel est le genre de ces œuvres classiques de la littérature française ? Lesquelles ont été adaptées au cinéma ? Tu peux faire des recherches sur Internet.

> *Les Misérables* de Victor Hugo

> *Les Trois mousquetaires* d'Alexandre Dumas

> *Cyrano de Bergerac* d'Edmond Rostand

> *L'Avare* de Molière

> *Les Fleurs du mal* de Charles Baudelaire

MON PROJET FINAL : **LES YOUTUBEURS**

VOUS ALLEZ FAIRE UNE VIDÉO POUR RECOMMANDER UN LIVRE, UN FILM OU UNE SÉRIE

1. En petits groupes, choisissez un livre, un film ou une série que vous aimez.
2. Préparez votre présentation : donnez le genre, résumez l'histoire sans dire la fin, décrivez les personnages et donnez votre opinion.
3. Partagez le texte et répétez ce que vous allez dire.
4. Filmez-vous et faites un montage, si nécessaire.
5. Publiez les vidéos sur le réseau social de la classe et regardez les vidéos de vos camarades. Quels sont les livres, les films ou les séries que vous avez le plus envie de lire ou voir ? Pourquoi ?

...➔ Alternative
Écrire des critiques et réagir aux critiques des autres.

Moi, j'ai envie de lire Le Seigneur des anneaux, parce que j'ai adoré le film et Alan dit que le livre est même mieux ! Et j'adore les romans fantastiques et d'aventures.

La Révolution française

La Révolution française est un tournant dans l'Histoire de la France du XVIIIe siècle. C'est en 1789 que le peuple, et notamment les paysans, s'opposent à la monarchie. Cette année est marquée par une série d'évènements qui aboutit à l'abolition de la monarchie et à l'instauration de la République.

A. Regarde la fresque. À quel moment ces évènements se sont-ils produits ?

1. Prise de la Bastille
2. Grande Peur
3. Déclaration des droits de l'homme et du citoyen

| 1789 | février | avril | juin | 26 août | octobre | décembre |

| janvier | mars | mai | 14 juillet | septembre | novembre |

B. Lis ce texte sur Marat et complète la fiche.

Jean-Paul Marat était un médecin français. Il est né le 24 mai 1743. Il a soutenu la Révolution grâce à son activité de journaliste. Le 20 septembre 1792, il a été élu député à la Convention nationale et le 5 avril 1793, il est devenu président du Club des Jacobins. Il a été assassiné chez lui le 13 juillet 1793 par Charlotte Corday par un coup de couteau à la poitrine. Sa mort a été rendue célèbre par un tableau de Jacques-Louis David peint en 1793.

↑ *La Mort de Marat* (1793), Jacques-Louis David

Nom : _____

Prénom : _____

Date de naissance : _____

Date de sa mort : _____

Profession : _____

Il s'oppose à : _____

Il défend : _____

C. Choisis un de ces personnages de la Révolution française, fais des recherches sur Internet et prépare une présentation pour la classe.

Danton   Robespierre   Abbé Grégoire

UNITÉ 8
Engagés

12,5 M

↑ *Sur le fil du bénévolat*, France Bénévolat (2013)

↑ Place du Général-De-Gaulle, Lille

LEÇON 1

Je parle des causes à défendre

- Les problèmes dans le monde et les façons de s'engager
- Les proportions
- Exprimer son opinion
- Les gallicismes : **venir de, être en train de**

Mini-projet 1

Présenter une association.

LEÇON 2

J'explique pourquoi et comment je m'engage

- L'impératif
- Les acteurs et les actions de l'engagement

Mini-projet 1

Organiser une manifestation pour protester contre une situation injuste.

LEÇON 3

Je parle de la solidarité au collège

- Les pronoms COD
- Les pronoms COI
- Les pronoms COD et COI avec deux verbes
- Les relations au collège

Mini-projet 1

Rédiger une charte de bonnes pratiques pour la classe.

FENÊTRE SUR

Je découvre la ville de Lille.

PROJET FINAL

CRÉER UN TRACT POUR DÉFENDRE UNE CAUSE

Salut ! Je m'appelle Adrien et je suis de Lille. Dans cette unité, on va parler de la solidarité et des causes à défendre !

Adrien
Je vais aider l'entraîneur de handball les jeudis. Je commence cette semaine ! ⚽
√ 13:11

Flore
Tu es payé ?
√ 13:21

Adrien
Non, je suis bénévole. C'est pour un projet solidaire. 😄
√ 13:40

Fatimata
Ah oui ?
√ 13:41

Adrien
Oui, la moitié des bénéfices de l'AS de handball servent à acheter du matériel pour un collège au Mali !
√ 14:01

Clément
C'est une super bonne cause ! 👍 Qu'est-ce qu'on peut faire pour t'aider ?
√ 14:14

Adrien
Inscrivez-vous au hand et venez jouer le jeudi soir !!
√ 14:15

En route !

1. Lis les messages. Qu'est-ce qu'un bénévole ?

2. Le travail d'Adrien à l'AS permet d'aider quelle cause ?

3. Regarde la vidéo et note tous les verbes mentionnés pour décrire le bénévolat.

aider, accompagner, nettoyer…

4. En groupes, écrivez des activités que peuvent faire les bénévoles en utilisant les verbes précédents.

aider les réfugiés, accompagner les personnes âgées, nettoyer les plages…

1. LES PROBLÈMES DANS LE MONDE

A Observe l'infographie « Si le monde était un village de 100 personnes ». Est-ce que la majorité des habitants du monde vit dans de bonnes ou dans de mauvaises conditions ?

LIBERTÉ

48 ne peuvent pas parler ou agir en fonction de leur foi et de leur conscience pour cause de harcèlement, torture ou risque de mort

52 le peuvent

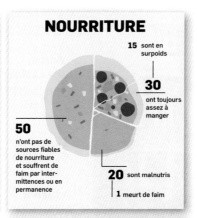

NOURRITURE

15 sont en surpoids

30 ont toujours assez à manger

50 n'ont pas de sources fiables de nourriture et souffrent de faim par inter-mittences ou en permanence

20 sont malnutris

1 meurt de faim

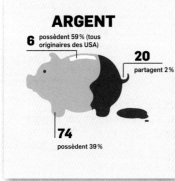

ARGENT

6 possèdent 59 % (tous originaires des USA)

20 partagent 2 %

74 possèdent 39 %

AIR

68 respirent de l'air pur

32 respirent de l'air pollué

☝ « Si le monde était un village de 100 personnes », www.tout-bon.com

B Associe pour former des phrases et retrouver les conclusions de l'infographie.

1. Une personne sur cent...
2. Un peu plus de trois personnes sur dix...
3. 30 % des habitants de la planète...
4. Presque la moitié du monde...
5. Une petite minorité...

a. vivent dans un environnement pollué.
b. possède plus de la moitié des richesses du monde.
c. ne peut pas s'exprimer ou agir librement.
d. est en train de mourir de faim.
e. n'ont jamais faim.

C Parmi les problèmes cités sur l'infographie, lesquels sont les plus présents dans ton entourage ?

Dans ma ville, il y a beaucoup de pollution.

D Quelles informations t'ont surpris le plus ? Pourquoi ?

Je ne savais pas que presque la moitié des habitants de la planète souffrent de faim. C'est choquant !

LES PROBLÈMES DANS LE MONDE

LA POLLUTION
L'air est pollué.
Il y a beaucoup de pollution.
On pollue la planète.

LE SURPOIDS
Beaucoup de personnes sont en surpoids.

LA MALNUTRITION
20 % des habitants de la planète souffrent de malnutrition.
Beaucoup d'enfants dans le monde meurent de faim.

LA RÉPARTITION DES RICHESSES
Très peu de personnes possèdent la majorité des richesses du monde.

LA PAUVRETÉ
Beaucoup de personnes dans le monde sont pauvres.

LA LIBERTÉ D'EXPRESSION
Dans ce pays, on ne peut pas agir et s'exprimer librement.

⸺⟶ p. 134

LES PROPORTIONS

un quart, ⬤ un tiers ⬤
la moitié : 50 % ⬤
la majorité : + de 50 %
une minorité : - de 50 %
20 / 30...% (pour cent ou sur cent)
un million : 1 000 000
une personne sur dix (1/10) / cent (1/100)

⸺⟶ p. 134

EXPRIMER SON OPINION

C'est / Je trouve ça...
surprenant !
incroyable !
choquant !
scandaleux !
révoltant !

⸺⟶ p. 134

2. BÉNÉVOLES

 A **Regarde ces logos d'associations. À ton avis, qu'est-ce qu'elles font ?**

❶    ❷    ❸   ❹
les petits frères des Pauvres

 B **Écoute ces jeunes présents à la Nuit du bénévolat, à Lille. De quelle association de l'activité A parle chacun ?**

Pistes 29 - 32

| Mickaël | Clara | Fiona | Karim |

 C **Écoute à nouveau. Qu'est-ce qu'ils font ?**

Pistes 29 - 32

| Mickaël | Clara | Fiona | Karim |

1. ..... vient de rejoindre une association qui aide les pauvres.
2. ..... est en train de préparer des tracts à distribuer aux gens.
3. ..... vient de discuter de la protection de l'environnement avec un bénévole.
4. ..... est en train de chercher une association.

 D **De quelle(s) association(s) aimeriez-vous faire partie ? Est-ce qu'il y a d'autres causes qui vous tiennent à cœur ?**

Moi, j'aimerais aider les réfugiés, mais je ne connais pas d'associations...

S'ENGAGER

Je suis bénévole.

Je veux m'engager pour sauver la planète.

Je veux défendre une bonne cause.

Ils se mobilisent pour les enfants hospitalisés / contre la pollution.

C'est une association qui aide les pauvres.

⟶ p. 134

LES GALLICISMES

Il est en train de chercher une association. (l'action en cours coïncide avec le point de repère temporel)

Il vient de rejoindre une association. (l'action s'est terminée juste avant le point de repère temporel)

⟶ p. 132

LE SAIS-TU ?

Nicolas Hulot, un des écologistes les plus célèbres de France, est lillois. Il a créé une fondation contre le réchauffement climatique et a été nommé ministre de la Transition écologique et solidaire.

MINI-PROJET 1 : PRÉSENTER UNE ASSOCIATION

1. Fais des recherches sur une association que tu connais :
• Qu'est-ce qu'elle fait ?
• Pourquoi cette cause est-elle importante ?

2. Prépare une présentation de cette association pour la classe.

3. Chacun présente son association et les autres prennent des notes pour poser des questions après chaque présentation.

4. Quelle association aimerais-tu rejoindre ? Pourquoi ?

L'association Oxfam Intermón se mobilise contre la pauvreté dans le monde. Je trouve cette cause...

⟶ **Alternative numérique**
Publier sur le blog de la classe un court texte et un lien vers le site de l'association.

3. MOBILISEZ-VOUS !

A Observe ces affiches de campagnes de sensibilisation et associe chaque campagne à son objectif.
1. Lutter contre l'analphabétisme.
2. Encourager les gens à ne pas jeter d'aliments.
3. Soutenir les initiatives de protection de l'environnement.

B Quelle campagne peut donner les conseils suivants ? Trouvez d'autres conseils.

> ### LES ACTIONS DE L'ENGAGEMENT
>
> *lutter contre la pollution / la corruption...*
>
> *soutenir les initiatives de protection de l'environnement...*
>
> *encourager les gens à recycler / acheter des produits locaux...*
>
> ⤳ p. 134

↑ « Petit Poucet », Ministère de l'Agriculture et de l'Alimentation

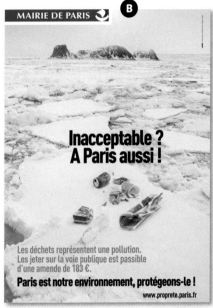

1. Ne jettez pas le pain sec.
2. Apprenez à lire.
3. Gaspillez moins d'aliments.
4. Jettez vos déchets dans les poubelles.

C Cherche une affiche d'une campagne que tu aimes pour la montrer en classe. Explique quels sont ses objectifs.

D Imagine une cause drôle ou originale et crée une affiche pour la soutenir.

Soutenons les mangeurs de mie de pain !

> ### L'IMPÉRATIF
>
> **VERBES DU 1ER GROUPE :**
>
> | TU | NOUS | VOUS |
> |---|---|---|
> | regarde | regardons | regardez |
> | achète | achetons | achetez |
>
> **VERBES DU 3E GROUPE :**
>
> | TU | NOUS | VOUS |
> |---|---|---|
> | fais | faisons | faites |
> | suis | suivons | suivez |
>
> **VERBES *AVOIR* ET *ÊTRE* :**
>
> | TU | NOUS | VOUS |
> |---|---|---|
> | aie | ayons | ayez |
> | sois | soyons | soyez |
>
> **L'IMPÉRATIF DES VERBES AVEC DES PRONOMS**
> *Cuisinez-moi !*
> *Protégeons-le !*
>
> ⤳ p. 132

8

4. DES STARS ENGAGÉES

 A **Lis cet article sur ces deux personnalités francophones. Pourquoi peut-on dire qu'elles sont engagées ? Que font-elles ?**

Les stars utilisent leur célébrité contre l'injustice

Marion Cotillard

Cette célèbre actrice est aussi une militante écologiste très engagée ! Comme porte-parole de l'organisation environnementale Greenpeace, elle participe à des documentaires contre la destruction des milieux naturels et pour la protection d'espèces en danger.

Yannick Noah

Ancien joueur de tennis, chanteur et acteur à succès. Très actif pour soutenir de bonnes causes, il est le représentant des Enfants de la Terre, association fondée par sa mère et lui pour lutter contre l'isolement des plus jeunes. Il est aussi le fondateur de Fête le Mur. Cette association aide les enfants en difficulté à s'intégrer grâce au sport.

LES ACTEURS DE L'ENGAGEMENT

un fondateur / une fondatrice
un(e) militant(e)
un(e) porte-parole

⟶ p. 134

LES ACTIONS DE L'ENGAGEMENT

manifester pour la protection des espèces en danger...

manifester contre les inégalités sociales...

participer à des forums / des réunions...

⟶ p. 134

 B **Pour quelles causes ces personnalités se mobilisent-elles et comment ?**

 C **Connais-tu d'autres personnalités engagées ? Complète ces phrases et présente-les à la classe.**
- Il / Elle se manifeste pour / contre .....
- Il / Elle se mobilise pour / contre .....
- Il / Elle lutte pour / contre .....
- Il / Elle aide .....

MINI-PROJET 2 : **MANIFESTONS !**

1. Vous allez manifester contre une situation injuste. D'abord, décidez pour / contre quoi vous allez manifester.

2. Réalisez plusieurs pancartes avec des slogans et préparez le texte que votre porte-parole va lire à la fin de la manifestation.

3. Chacun à son tour, les groupes entrent dans la salle de classe et manifestent !

4. Enfin, décorez la classe avec vos pancartes.

Soutenons nos camarades handicapés !

Mettons une rampe d'accès à côté de l'escalier de la cantine !

Facilitons l'accès aux salles de classe !

⟶ **Alternative numérique**
Créer votre pancarte en ligne et la publier sur un réseau social avec un texte qui explique pourquoi vous manifestez.

5. CHARTE DE TUTORAT

 A Observe cette affiche : que font les élèves de ce collège ? Y a-t-il des initiatives semblables dans ton collège ? En quoi consistent-elles ?

PROGRESSONS ENSEMBLE !

Vous avez des difficultés ?
On vous aide !

Avez-vous une matière préférée ?
Aidez vos camarades !

JOURNÉE PORTES OUVERTES, 16 SEPTEMBRE, 16 H 30 À LA BIBLIOTHÈQUE.

 B Lis cette charte de tutorat. Quelle est l'attitude qui te paraît la plus importante ?

Je pense que c'est important de savoir accepter des remarques pour mieux apprendre.

CHARTE DE TUTORAT

LE TUTEUR AVEC L'ÉLÈVE	L'ÉLÈVE AVEC SON TUTEUR
1. Quand il ou elle **me** demande de **l'**aider, je ne **lui** donne pas la réponse immédiatement.	**1.** Je **l'**écoute attentivement quand il ou elle **m'**explique quelque chose.
2. Je **lui** apprends des astuces pour mieux étudier et mieux apprendre.	**2.** J'accepte les remarques qu'il ou elle **me** fait et j'évalue son travail de temps en temps.
3. Je m'engage à être ponctuel(le) et à préparer mes cours.	**3.** À la fin de l'heure de tutorat, je **le / la** remercie de **m'**avoir aidé(e).
4. J'accepte ses remarques pour améliorer ma façon de travailler.	**4.** Je m'engage à être ponctuel(le) et à réaliser les activités qu'il / elle **me** propose.

LES PRONOMS COD

me	nous
te	vous
le / la	les

⤳ **p. 132**

LES PRONOMS COI

me	nous
te	vous
lui	leur

⤳ **p. 132**

 ASTUCE

Comment traduis-tu dans ta langue ces verbes et leurs compléments ? Y a-t-il des différences avec le français ?

**Écouter quelqu'un
Aider quelqu'un
Remercier quelqu'un**

 C Dis quels mots COD ou COI les pronoms en gras remplacent.

1. Je **l'**écoute. *J'écoute le tuteur.*
2. Je **l'**aide.
3. Je **le / la** remercie.
4. Je **lui** conseille.
5. Je ne **lui** donne pas la réponse.

 D Et toi ? Qui aides-tu ? Est-ce que les autres t'aident aussi parfois ?

Mon frère : je l'aide avec ses devoirs. Mes grands-parents : je fais leurs courses tous les vendredis…

6. J'AIDE LES AUTRES

 A **Écoute ces témoignages et complète le tableau.**

Pistes 33 - 36

Amina Richard Alice Enzo

> **LES PRONOMS COD ET COI AVEC DEUX VERBES**
>
> *Je dois l'aider à distribuer les maillots.*
> *Je vais les voir.*
>
> ···⟶ **p. 132**

	Qui il /elle aide ?	Qu'est-ce qu'il /elle fait pour aider ?	Où (association, endroit du collège...)
1. Amina	Les joueurs.	- Elle leur distribue des maillots et elle leur explique ce qu'il faut faire. - Elle aide le coach.	
2. Richard			
3. Alice			
4. Enzo			

 B **Par groupes : pour être plus solidaires au collège tous les jours, qui pouvez-vous aider et comment ? Proposez une idée solidaire et présentez-la au reste de la classe. Votez ensemble pour l'idée la plus utile et généreuse.**

Après les cours   À la cantine   Pendant la récréation   Autres

On propose d'organiser un goûter solidaire une fois par mois après les cours. On va cuisiner des gâteaux et on va les vendre aux collégiens. L'argent va être destiné à aider les élèves qui ont des difficultés à acheter des livres.

MINI-PROJET 3 : **NOTRE CHARTE DE BONNES PRATIQUES**

1. Vous allez rédiger une charte de solidarité et de bonnes pratiques pour votre classe. Pensez à trois actions et attitudes pour chaque catégorie.
- Avec le professeur
- Avec les autres élèves

2. Écrivez votre charte.

3. Mettez en commun vos idées avec le reste de la classe et faites la charte de la classe.

Avec le professeur	Avec les autres élèves
• Je le salue toujours quand j'entre en classe. • Je lui souris : un sourire, ça fait toujours plaisir !	• Je ne les interromps pas quand ils parlent. • Je leur explique les exercices s'ils n'ont pas compris.

···⟶ **Alternative numérique**
Publier la charte sur le site du collège.

A. Les gallicismes

Il existe deux structures très utilisées qui permettent d'exprimer des rapports au temps particuliers.

VENIR DE + INFINITIF	L'action s'est terminée juste avant le point de repère temporel : *Je viens de m'inscrire.*
ÊTRE EN TRAIN DE + INFINITIF	L'action en cours coïncide avec le point de repère temporel : *Je suis en train de m'inscrire.*

1. Regarde ces dessins. Qu'est-ce que Paul vient de faire ? Qu'est-ce qu'il est en train de faire ?

Juste avant   Maintenant

B. Les pronoms personnels COD et COI

• Les pronoms personnels COD remplacent un groupe de mots qui est complément d'objet direct (COD) d'un verbe. On trouve le COD en répondant à la question : **Qu'est-ce qui... ?** ou **Qu'est-ce que... ?**

• Les pronoms personnels COI remplacent un groupe de mots qui est complément d'objet indirect (COI) d'un verbe + **à**. On trouve le COI en répondant à la question : **À qui est-ce que... ?** ou **À quoi est-ce que... ?**

PRONOMS PERSONNELS SUJETS	PRONOMS PERSONNELS COD	PRONOMS PERSONNELS COI
je	me	me
tu	te	te
il / elle	le, la	lui
nous	nous	nous
vous	vous	vous
ils / elles	les	leur

!️ **Lui** et **leur** remplacent un nom masculin ou féminin :

Je parle à Émilie. ⟶ *Je lui parle.*

Je parle à Pierre. ⟶ *Je lui parle.*

Quand un verbe conjugué est suivi d'un verbe à l'infinitif, les pronoms COD et COI se placent avant le verbe qu'ils complètent.
Mon frère ne peut pas m'aider à faire mes devoirs.

2. Remplace les mots en gras par un pronom personnel COD ou COI.

a. Nous écoutons **le professeur**. ⟶
Nous l'écoutons.

b. Je demande toujours **à ma sœur** de l'aide. ⟶

c. On fait **nos devoirs** le soir après dîner. ⟶

d. Le professeur conseille **aux élèves** de travailler régulièrement. ⟶

e. Il doit toujours expliquer les mathématiques **à sa fille**. ⟶

f. Nous suivons **la leçon** à distance. ⟶

g. Tu dois remercier **Marie** parce qu'elle t'a beaucoup aidé. ⟶

h. Je vais aider **ton frère** avec ses devoirs. ⟶

i. J'ai dit **à Louise** « bonjour » et elle ne m'a pas répondu. ⟶

j. Il parle tous les jours **à son père**, parce qu'il vit aux États-Unis. ⟶

C. L'impératif

L'impératif est un mode qui n'existe qu'à trois personnes (**tu**, **nous**, **vous**).

Pour former l'impératif, on prend les verbes conjugués au présent de l'indicatif, puis on enlève le pronom personnel sujet.

PRÉSENT DE L'INDICATIF	IMPÉRATIF
tu viens	viens
nous venons	venons
vous venez	venez

❗ Pour les verbes en **-er**, on supprime le **-s** à la 2ᵉ personne du singulier :

PRÉSENT DE L'INDICATIF	IMPÉRATIF
tu manges	mange
nous mangeons	mangeons
vous mangez	mangez

❗ **Avoir**, **être** et **vouloir** sont irréguliers :

AVOIR	ÊTRE	VOULOIR
aie	sois	veuille
ayons	soyons	veuillons
ayez	soyez	veuillez

Les verbes **pouvoir** et **devoir** ne se conjuguent pas à l'impératif.

Dans le cas des verbes pronominaux, le pronom réfléchi se transforme en pronom tonique. Le verbe et le pronom sont reliés par un trait d'union : tu **te mobilises** ⟶ **mobilise-toi**.

L'impératif s'emploie pour :
• donner un ordre :
Range ta chambre.

• donner un conseil :
Mangez moins sucré et moins gras et bougez.

• encourager, inciter :
Continue comme ça, c'est bien.

L'intonation et le contexte renseignent sur les intentions du locuteur qui emploie l'impératif.

3. Lis ces phrases et coche celles qui sont à l'impératif.

a. Aidons les pauvres.
b. Nous mangeons des produits de saison.
c. Il ne faut pas jeter d'aliments.
d. N'achetez pas trop de nourriture.
e. Protégeons la planète !

4. Complète ces conseils pour contribuer à diminuer la pollution avec ces verbes à l'impératif et à la 2ᵉ personne du singulier.

> fermer acheter
> aller laisser

a. ..... à l'école à pied ou à vélo.
b. ..... des produits locaux.
c. ..... le robinet quand tu te brosses les dents.
d. ..... pas les lumières de la maison allumées.

5. Transforme les phrases suivantes à l'impératif.

a. Tu dois t'engager. ⟶ *Engage-toi.*
b. Nous ne devons pas acheter de fraises en hiver. ⟶
c. Nous devons protéger nos ressources. ⟶
d. Tu dois devenir bénévole. ⟶
e. Vous ne devez pas utiliser de sacs en plastique. ⟶

PHONÉTIQUE

6. Écoute et coche le son que tu entends.

piste 37

	[e] comme étudier	[ɛ] comme être	[ə] comme veut
a. **fai**sons			
b. ach**è**te			
c. ach**e**tons			
d. **ay**ons			
e. v**e**nons			
f. **fai**tes			
g. cuisin**ez**			
h. suiv**ez**			
i. sout**e**nons			
j. prot**é**geons			

MA CARTE MENTALE

A. Les acteurs de l'engagement

1. Complète les mots croisés à l'aide de ces définitions.

Dans une association...
1. La personne qui s'engage activement pour une cause.
2. La personne qui travaille gratuitement pour soutenir une cause.
3. La personne qui a créé l'association.
4. La personne qui exprime officiellement les idées du groupe.

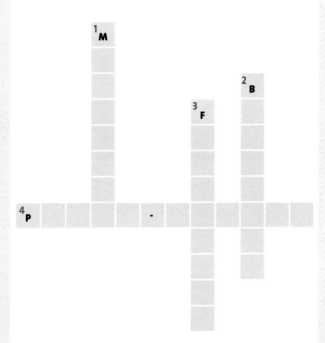

B. Exprimer son opinion

2. Écoute ces informations et donne ton opinion à l'aide des expressions d'opinion.
piste 38

C'est / Je trouve ça...

| bien | surprenant | incroyable |
| choquant | scandaleux | révoltant |

3. Crée ta carte mentale. Écris les mots que tu veux retenir de cette unité et ajoute des photos et des dessins.

Les actions

être / devenir bénévole

s'engager pour / contre...

se mobiliser pour / contre...

lutter pour / contre...

manifester pour / contre...

défendre...

soutenir...

encourager à faire...

Les acteurs

un fondateur / une fondatrice

un(e) militant(e)

un(e) porte-parole

un(e) bénévole

Les relations au collège

accepter les remarques de quelqu'un

écouter quelqu'un

remercier quelqu'un

aider quelqu'un

être ponctuel(le)

Les problèmes dans le monde

la pollution
(polluer)

la répartition des
richesses (posséder
une grande partie des
richesses)

le surpoids
(être en surpoids)

la pauvreté
(être pauvre)

la malnutrition
(souffrir de
malnutrition,
mourir de faim)

la liberté d'expression
(agir et s'exprimer
librement)

DES ADOS ENGAGÉS

Exprimer son opinion

C'est / Je trouve ça...

surprenant

incroyable

choquant

scandaleux

révoltant

Les proportions

un quart : 1/4

un tiers : 1/3

la moitié : 1/2

la majorité

5% (pour cent ou sur cent)

un million = 1 000 000

FENÊTRE SUR ~ JOURNAL EN LIGNE ~

LILLE, VILLE FESTIVE

À seulement 30 minutes de la frontière belge, Lille est la plus grande ville du Nord de la France. C'est une ville étudiante et très animée. Venez profiter des événements qui ont lieu dans cette ville à différents moments de l'année !

← Lille

↑ Marché aux livres

LE MARCHÉ AUX LIVRES DE LA VIEILLE BOURSE

Tous les après-midis, à la Vieille Bourse, un des plus beaux monuments lillois, les brocanteurs vendent des vieux journaux, des cartes postales et des livres d'occasion. Pourquoi acheter un livre neuf quand on peut éviter de gaspiller du papier et de l'argent ?

LE FESTIVAL DES SOLIDARITÉS

En novembre, centres culturels, universités et associations se mobilisent pour cet événement national. Ils choisissent chaque année un thème (l'eau, l'hospitalité, l'habitat...) et le présentent aux participants : quels sont les défis ? Que peut-on faire au quotidien ? Quelles associations proposent de s'engager ? L'objectif est d'informer, d'échanger et de trouver ensemble des manières d'être plus solidaires.

1. Lis le reportage et réponds aux questions.

- Où et quand peut-on acheter un livre d'occasion dans un endroit magnifique à Lille ?
- Cite deux grands événements qui ont lieu à Lille chaque année.

2. Qu'est-ce que les marchés aux puces et les braderies ont en commun ? Comment peux-tu traduire ces mots dans ta langue ?

3. Et dans ta ville ou une ville que tu connais, où peut-on aller pour acheter des livres et des vêtements d'occasion ?

LE SAIS-TU ?

Le peintre français Watteau (1758 - 1823) a vécu à Lille et a peint *La Braderie*.

Dans ce numéro, Adrien nous parle de la ville de Lille.

LA GRANDE BRADERIE : OUVRIR LA COMMUNAUTÉ ET LA CULTURE LILLOISE

L'un des plus grands rassemblements de France a lieu à Lille en septembre pendant tout un week-end : c'est la Grande Braderie ! Brader, c'est vendre quelque chose à un prix plus bas que d'habitude. Tout le monde en profite : les magasins, qui sortent leurs produits dans la rue, et les visiteurs, les « bradeux » !

2 à 3 millions de bradeux viennent chaque année à Lille pour découvrir plus de 100 km de stands, des manèges, des concerts... Au marché aux puces, où toutes les cultures se croisent, vous pouvez trouver des vêtements d'occasion.

←··· Marché aux puces

Le long des stands vous pouvez écouter des fanfares, découvrir des associations ou vous détendre en dégustant le plat traditionnel de la braderie : les moules-frites !

↑ Tas de moules

Journaliste en herbe !

Écris un reportage sur une initiative solidaire de ta ville ou d'une ville que tu connais.

QUESTIONNAIRE CULTUREL
Teste tes connaissances !

L'engagement

→ Quelle fondation a été créée par un ministre de l'Écologie ? Quelle cause défend-elle ?

→ Quels métiers exercent ou ont exercé Marion Cotillard et Yannick Noah ?

→ Quelle grande association française offre des repas aux personnes qui vivent dans la pauvreté ?

Lille

→ Comment s'appellent les habitants de Lille ?

→ Qu'est-ce que la Grande Braderie de Lille ?

Les proportions

→ Fais des maths ! Associe la quantité aux proportions qui lui correspondent.

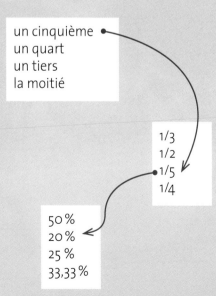

un cinquième
un quart
un tiers
la moitié

1/3
1/2
1/5
1/4

50 %
20 %
25 %
33,33 %

MON PROJET FINAL : **UN TRACT POUR UNE CAUSE**

VOUS ALLEZ CRÉER UN TRACT POUR DÉFENDRE UNE CAUSE

1. En groupes, vous allez choisir une cause qui vous tient à cœur. Renseignez-vous :
- Quelle est la situation actuelle ?
- Qu'est-ce qu'on peut faire pour l'améliorer ?
- Existe-t-il des associations qui défendent cette cause ? Peut-on les rejoindre ?

2. Préparez votre tract :
- Trouvez un titre qui attire l'attention.
- Rédigez un court texte pour informer les autres de la situation et les inciter à agir.
- Cherchez des photos ou des illustrations.

3. Créez le tract : utilisez des couleurs et mettez les mots importants en valeur pour attirer l'attention.

4. Distribuez le tract à la sortie du collège et essayer de convaincre vos camarades de s'engager pour votre cause.

····> **Alternative numérique**
Créer le tract avec un programme de design comme Canva.

ARRÊTONS DE GASPILLER LA NOURRITURE !

Dans le monde, **10 millions de tonnes d'aliments sont gaspillés** : c'est choquant, nous devons changer nos habitudes ! Chaque personne jette **50 kilos de nourriture par an** : avec 50 kilos, on peut préparer **plus de cent repas**.

Quand vous ne finissez pas un plat, **gardez vos restes** et mettez-les au congélateur.

Avec le **vieux pain**, faites du **pain perdu** ou des **croûtons** pour la soupe. Avec les **fruits abîmés**, faites des **compotes** et des **confitures**.

Avant de faire les courses, regardez ce que vous avez déjà dans votre frigo et surveillez les dates de péremption. **N'achetez pas trop !**

Engagez-vous contre le gaspillage alimentaire : rejoignez l'**association Zéro Gâchis** et téléchargez l'**application Whatthefood**, pour moins gâcher à la cantine.

DNL En classe d'éducation civique

Les droits de l'enfant

À l'école, les enfants apprennent à vivre et à exercer leur citoyenneté. Ils participent et s'impliquent à la vie en démocratie dans le respect des droits. La Convention internationale des droits de l'enfant représente un engagement à la défense de ces droits.

A. Observe cette affiche et réponds aux questions.

1. Tu connais l'organisme qui a créé cette affiche ? Quelle est sa fonction ?
2. Pour toi, quels sont les trois droits les plus importants ? Pourquoi ?
3. Qui sont les lapins crétins ? Fais des recherches.

B. Propose un autre droit à ajouter sur l'affiche et complète la phrase...

Tu as le droit de...

L'ALPHABET PHONÉTIQUE

VOYELLES ORALES

[i]	vie [vi]
[e]	avez [ave]
[ɛ]	avec [avɛk]
[a]	la [la]
[y]	tu [ty]
[ø]	peu [pø]
[ə]	je [ʒə]
[œ]	heure [œʁ]
[u]	nous [nu]
[o]	trop [tʁo]
[ɔ]	alors [alɔʁ]
[ɑ]	pâtes [pɑt]

VOYELLES NASALES

[ɛ̃]	pain [pɛ̃]
[œ̃]	un [œ̃]
[ɔ̃]	on [ɔ̃]
[ɑ̃]	blanc [blɑ̃]

SEMI-CONSONNES

[j]	famille [famij]
[w]	quoi [kwa]
[ɥ]	suis [sɥi]

CONSONNES ORALES

[p]	plein [plɛ̃]
[b]	beau [bo]
[t]	tête [tɛt]
[d]	donne [don]
[f]	fille [fij]
[v]	vous [vu]
[k]	cou [ku]
[g]	gant [gɑ̃]
[s]	son [sɔ̃]
[z]	zéro [zeʁo]
[ʃ]	chat [ʃa]
[ʒ]	joue [ʒu]
[ʁ]	rue [ʁy]
[l]	ville [vil]

CONSONNES NASALES

[m]	mer [mɛʁ]
[n]	non [nɔ̃]
[ɲ]	Espagne [ɛspaɲ]
[ŋ]	parking [paʁkŋ]

Correspondance phonie-graphie

Une des difficultés majeures du français vient du fait qu'il ne se prononce pas comme il s'écrit : un son peut s'écrire de plusieurs manières et une graphie peut se prononcer de plusieurs manières.

SONS VOYELLES	RÉALISATIONS GRAPHIQUES
[ɛ]	mère [mɛʁ] / même [mɛm] / faire [fɛʁ] / poignet [pwaɲɛ]
[e]	étudier [etydje] / les [le] / chez [ʃe]
[o]	mot [mo] / beau [bo] / jaune [ʒon]
[œ]	peur [pœʁ] / sœur [sœʁ]
[ɛ̃]	intéressant [ɛ̃teʁesɑ̃] / impossible [ɛ̃posibl] / pain [pɛ̃] / plein [plɛ̃] / bien [bjɛ̃]
[ɑ̃]	dimanche [dimɑ̃ʃ] / vent [vɑ̃] / faon [fɑ̃]
[ɔ̃]	bonjour [bɔ̃ʒuʁ] / comprendre [kɔ̃pʁɑ̃dʁ]

SONS CONSONNES	
[j]	bille [bij] / paye [pɛj]
[p]	père [pɛʁ] / apprendre [apʁɑ̃dʁ]
[b]	boire [bwaʁ] / abbé [abe]
[t]	tableau [tablo] / attendre [atɑ̃dʁ]
[d]	samedi [samdi] / addition [aditjɔ̃]
[f]	fort [fɔʁ] / affiche [afi ʃ] / photo [foto]
[k]	crayon [cʁɛjɔ̃] / accrocher [akʁoʃe]/ quel [kɛl] / kilo [kilo]
[g]	gâteau [gɑto] / langue [lɑ̃g]
[s]	son [sɔ̃] / commencer [komɑ̃se] / français [fʁɑ̃sɛ] / passer [pase] / attention [atɑ̃tjɔ̃]
[z]	saison [sesɔ̃] / zone [zon]
[ʒ]	joli [ʒoli] / géographie [ʒeogʁafi]
[ʁ]	mardi [maʁdi] / arriver [aʁive]
[l]	lundi [lœ̃di] / allemand [almɑ̃]
[m]	amener [amne] / homme [ɔm]
[n]	nouveau [nuvo] / année [ane]

LES NOMBRES

10 : **dix**	50 : **cinquante**
11 : **onze**	60 : **soixante**
12 : **douze**	70 : **soixante-dix**
13 : **treize**	71 : **soixante-et-onze**
14 : **quatorze**	72 : **soixante-douze**
15 : **quinze**	80 : **quatre-vingts**
16 : **seize**	81 : **quatre-vingt-un**
17 : **dix-sept**	82 : **quatre-vingt-deux**
18 : **dix-huit**	
19 : **dix-neuf**	90 : **quatre-vingt-dix**
20 : **vingt**	91 : **quatre-vingt-onze**
21 : **vingt-et-un**	
22 : **vingt-deux**	100 : **cent**
30 : **trente**	101 : **cent un**
40 : **quarante**	200 : **deux cents**
	201 : **deux cent un**

LES NOMBRES ORDINAUX

Les nombres ordinaux permettent d'indiquer le rang d'une chose ou d'une personne. Ils se forment à partir des nombres, auxquels on ajoute **-ième**, sauf pour **premier / première**.

1er / 1re	Premier/première
2e	Deux**ième**
3e	Trois**ième**
4e	Quatr**ième**
5e	Cinqu**ième**
6e	Six**ième**
7e	Sept**ième**
8e	Huit**ième**
9e	Neuv**ième**
10e	Dix**ième**

LA NÉGATION

Pour former une phrase négative : Sujet + **ne** + verbe + **pas** : *Je ne parle pas japonais.*

:exclamation: ne ⟶ n' devant une voyelle ou un **h** muet : *Je n'habite pas à Lyon.*

Avec les mots **jamais, rien, personne** et **aucun**, qui contiennent déjà l'idée de négation, on supprime le **pas**.

POSITIF	NÉGATIF
Il y a quelque chose.	*Il n'y a rien.*
Il y a quelqu'un.	*Il n'y a personne.*
Il regarde toujours son portable.	*Il ne regarde jamais son portable.*
Il aime toutes les séries.	*Il n'aime aucune série.*

IL N'Y A QUE

Il n'y a que exprime la restriction : *Il n'y a qu'une chambre.* (= il y a seulement / uniquement une chambre).

LES DÉTERMINANTS

Les déterminants accompagnent le nom commun. Ils se placent toujours avant le nom. On choisit le déterminant en fonction de la situation de communication et de ce que l'on veut exprimer. Le déterminant s'accorde en genre et en nombre avec le nom.

La maison de mon père est grande.
Le chien du voisin est calme.

Les articles définis

	MASCULIN	FÉMININ
SINGULIER	le / l'	la / l'
PLURIEL	les	

On utilise les articles définis pour parler de quelqu'un ou de quelque chose :
• qui est déjà connu au moment où on parle :

Le chat de Patricia est très mignon. (= On sait déjà que Patricia a un chat.)

• qu'on présente comme une catégorie d'objets ou êtres vivants connus de tout le monde :

Le chat est un animal domestique. (= Le chat est un type d'être vivant.)

:exclamation: Pour les noms commençant par une voyelle ou un **h** muet : **le / la** ⟶ **l'**.
L'arbre de Noël est joli.

Les articles indéfinis

	MASCULIN	FÉMININ
SINGULIER	un	une
PLURIEL	des	

On utilise les articles indéfinis pour parler de quelqu'un ou de quelque chose que notre interlocuteur ne connaît pas encore.
J'ai un nouveau copain, il est italien.

⚠ Dans une phrase à la forme négative :
un, une, des ⟶ **de**.

Les articles contractés

Quand les prépositions **à** et **de** sont suivies de l'article défini (**le, la, les**), elles s'unissent à celui-ci pour former les articles contractés. La forme de l'article contracté dépend du genre du nom qui suit l'expression construite avec la préposition **à** ou **de**.

	LE	LA	L'	LES
à	au	à la	à l'	aux
de	du	de la	de l'	des

Nous allons à la bibliothèque.
Tu joues au football.
Il a mal à l'épaule.
Vous avez besoin du crayon.

Les articles partitifs

	MASCULIN	FÉMININ
SINGULIER	du	de la
PLURIEL	des	

⚠ Devant une voyelle ou un **h** muet, **du** et **de la** ⟶ **de l'eau, de l'huile**.

Les articles partitifs permettent de désigner une quantité indéfinie :

Je voudrais de la salade et deux œufs.

• d'une partie de quelque chose qu'on ne peut pas compter :
Pour le petit déjeuner, je mange toujours du pain avec du miel.

Les indéfinis

Pour indiquer la totalité :

• **Tout / toute / tous / toutes** + nom :
Tous ses amis / Toutes ses amies adorent cuisiner.

Pour indiquer une quantité imprécise supérieure à deux éléments :

• **Plusieurs** + nom au pluriel :
J'ai plusieurs mots de passe.

Pour exprimer une petite quantité imprécise d'éléments :

• **Quelques** + nom :
Quelques personnes sont malveillantes.
(= on insiste sur le petit nombre de ces personnes)

Pour désigner une petite quantité d'éléments sans vouloir les nommer :

• **Certains / certaines** + nom au pluriel :
Certaines personnes sont malveillantes. (= on insiste sur l'existence de ces personnes)

Pour exprimer l'inexistence d'un élément dans un ensemble :

• **Aucun / aucune de** + nom au pluriel + **ne** :

Aucun de mes amis / Aucune de mes amies n'a aimé ce film.

⚠ **Quelques** et **plusieurs** sont invariables.

Les déterminants possessifs

On emploie les déterminants possessifs pour marquer un lien d'appartenance entre une ou plusieurs personnes ou choses.

Mes amis sont timides.
Ta ville est belle.

	SINGULIER		PLURIEL	
	Masculin	Féminin	Masculin	Féminin
je	mon père	ma mère	mes parents	
tu	ton cousin	ta cousine	tes enfants	
il / elle	son frère	sa sœur	ses grands-parents	
nous	notre oncle		nos oncles	
vous	votre tante		vos tantes	
ils / elles	leur grand-mère		leurs grands-mères	

❗ Devant un nom féminin commençant par une voyelle ou un **h** muet, **ma, ta, sa** ⟶ **mon, ton, son.**

Mon ami Afonso est portugais et mon amie Adriana est belge.

Les déterminants démonstratifs

	MASCULIN	FÉMININ
SINGULIER	Ce / Cet	Cette
PLURIEL		Ces

Pour indiquer quelque chose à quelqu'un, on emploie les déterminants démonstratifs. Ils s'accordent en genre et en nombre avec le nom qu'ils précèdent.

Cette pomme est bonne.
Ces acteurs sont français.

Quand un mot masculin commence par une voyelle ou un **h** muet, on utilise **cet** qui se prononce comme **cette.**

Cet homme est grand.
Cet acteur est célèbre.

LE NOM COMMUN

Le nom commun désigne une personne, un animal ou une chose. Il a un genre : il est masculin ou féminin. Il peut varier en nombre : il peut être au singulier ou au pluriel.

Les collégiens mangent à la cantine.

Le genre des noms communs

Quand le nom désigne une personne ou un animal, il a généralement deux formes : le masculin et le féminin.

En général, on ajoute un **-e** au mot masculin pour former le féminin.

un ami (masculin), **une amie** (féminin).

Quand le nom désigne autre chose qu'une personne ou un animal, son genre est arbitraire.

Le printemps est ma saison préférée.

Les noms de profession

La forme des noms de profession dépend la plupart du temps du genre de la personne.

MASCULIN ♂	FÉMININ ♀
un mécanicien	une mécanicienne
un directeur	une directrice
un danseur	une danseuse
un ouvrier	une ouvrière
un employé	une employée
un journaliste	une journaliste

Le nombre des noms communs

Pour former le pluriel des noms communs, on ajoute généralement un **-s** au mot au singulier :

un **chien** ⟶ des **chiens**

une **chienne** ⟶ des **chiennes**

On n'ajoute pas de **-s** au pluriel aux noms communs qui se terminent par **-s, -x, -z** au masculin singulier : **un bras** ⟶ **des bras, une croix** ⟶ **des croix, un nez** ⟶ **des nez.**

La plupart des noms communs qui se terminent en **-au, -eau, -eu, -œu** prennent un **-x** pour former le pluriel : **un bureau** ⟶ **des bureaux, un jeu** ⟶ **des jeux, un vœu** ⟶ **des vœux.**

La plupart des noms communs qui se terminent en **-al** font leur masculin pluriel en **-aux** : **un cheval** ⟶ **des chevaux.**

❗ **un œil** ⟶ **des yeux**

LES ADJECTIFS

Les adjectifs donnent des informations, des précisions sur quelqu'un ou quelque chose. Ils s'accordent en genre et en nombre avec le mot qu'ils qualifient.

Je porte un pull bleu.
J'ai une profession importante.

Le genre des adjectifs

Pour former le féminin, on ajoute généralement un **-e** à l'adjectif au masculin. Il existe cependant de très nombreuses exceptions à cette règle.

IL EST...	ELLE EST...
timide	timide
petit blond	petite blonde
rêveur	rêveuse
courageux	courageuse
sportif	sportive
manipulateur	manipulatrice
rêveur	rêveuse

Le nombre des adjectifs

Pour former le pluriel de l'adjectif, on ajoute généralement un **-s** à l'adjectif au singulier.

ILS SONT...	ELLES SONT...
petits blonds	petites blondes
rêveurs	rêveuses
courageux	courageuses
sportifs	sportives
manipulateurs	manipulatrices
rêveurs	rêveuses

Au masculin

On n'ajoute pas de **-s** au pluriel aux adjectifs qui se terminent par un **-s** ou un **-x**. Le **-s** et le **-x** ne s'entendent pas à l'oral :

IL EST...	ILS SONT...
courageux	courageux

On ajoute un **-x** aux adjectifs qui se terminent en **-eau**. Le **-x** ne s'entend pas à l'oral.

IL EST...	ILS SONT...
beau	beaux

On ajoute **-aux** à la plupart des adjectifs qui se terminent en **-al**. Le **-x** ne s'entend pas à l'oral.

IL EST...	ILS SONT...
original	originaux

La place des adjectifs

Les adjectifs se placent en général après le nom commun.

C'est une énergie propre.

Certains adjectifs qualificatifs ont une place fixe. Les adjectifs suivants se placent toujours avant le nom : **beau, bon, grand, gros, haut, joli, long, petit, vieux, vilain**.

C'est un beau garçon.

Sauf quand ils sont coordonnés.

C'est un endroit beau et calme.

Les adjectifs de couleur

Les adjectifs de couleur peuvent :
- S'accorder en genre et nombre avec le mot qu'ils qualifient : **jaune**, **vert**, **bleu**, **blanc**, **noir**, **rouge**, **violet**.
Ses yeux sont verts. / Sa jupe est verte.

- Être invariables : Les couleurs **marron** et **orange**, et les mots composés (**vert clair, bleu foncé**...) **sont invariables :**

Mes bottes sont marron.
J'adore les accessoires bleu foncé.

LES PRONOMS

Les pronoms remplacent une personne, un animal ou une chose. En général, ils permettent d'éviter les répétitions.

Mes parents, je les aime. Eux aussi, ils m'aiment.

Les pronoms personnels sujets

Les pronoms personnels sujets indiquent qui fait l'action.

Je parle français.
Nous allons chez le médecin.

SINGULIER	1re personne	je
	2e personne	tu
	3e personne	il / elle
PLURIEL	1re personne	nous
	2e personne	vous
	3e personne	ils / elles

Le pronom *on*

On est un pronom indéfini. À l'oral, **nous** est souvent remplacé par **on**. Avec **on**, le verbe se conjugue à la troisième personne du singulier (comme pour **il** et **elle**).

Nous, on reste en France.

On peut vouloir dire aussi **tout le monde**, **quelqu'un**, **n'importe qui** quand la phrase est positive, ou **personne** quand la phrase est négative. La personne qui parle n'est pas toujours incluse dans le **on**.

On ne peut pas manger dans la classe.

Les pronoms personnels COD et COI

• Les pronoms personnels COD remplacent un groupe de mots qui est complément d'objet direct (COD) d'un verbe. On trouve le COD en répondant à la question : **Qu'est-ce qui... ?** ou **Qu'est-ce que... ?**

• Les pronoms personnels COI remplacent un groupe de mots qui est complément d'objet indirect (COI) d'un verbe + **à**. On trouve le COI en répondant à la question : **À qui est-ce que... ?** ou **À quoi est-ce que... ?**

PRONOMS PERSONNELS SUJETS	PRONOMS PERSONNELS COD	PRONOMS PERSONNELS COI
je	me	me
tu	te	te
il / elle	le, la	lui
nous	nous	nous
vous	vous	vous
ils / elles	les	leur

! **Lui** et **leur** remplacent un nom masculin ou féminin :

Je parle à Émilie. ⟶ *Je lui parle.*

Je parle à Pierre. ⟶ *Je lui parle.*

Quand un verbe conjugué est suivi d'un verbe à l'infinitif, les pronoms COD et COI se placent avant le verbe qu'ils complètent.
*Mon frère ne **peut** pas **m'aider** à faire mes devoirs.*

Les pronoms toniques

À chaque pronom personnel sujet correspond un pronom tonique.

SINGULIER	1re personne	moi
	2e personne	toi
	3e personne	lui / elle
PLURIEL	1re personne	nous
	2e personne	vous
	3e personne	eux / elles

Les pronoms toniques renforcent le sujet et permettent de se démarquer :

Moi, je m'appelle Virginie ; elle, elle s'appelle Audrey.

Le pronom *y*

Y permet de remplacer un complément de lieu (qu'on trouve en posant la question **où ?**). Il se place entre le sujet et le verbe qu'il complète.
• *Il habite à Paris ?* (Il habite où ? À Paris.)
◦ *Oui, il y habite depuis 2 ans.*

! Quand la quantité est précisée, elle est reprise après le verbe.
*Je vais prendre **deux yaourts**.* ⟶ *Je vais en prendre **deux**.*

À la forme négative, **en** se place entre le **ne** et le verbe : *Je n'en veux pas.*

LE VERBE

Le présent de l'indicatif

Le présent de l'indicatif permet d'évoquer :

• Le moment où on parle :

Je regarde une série.

• Une habitude :

Toutes les semaines, je fais du sport.

• Une situation d'actualité au moment où on parle :

Lisa est une élève de ma classe.

• Une vérité générale :

*La Terre **tourne** autour du Soleil.*

• Un futur très proche, en lien avec le moment présent :

*J'**arrive** tout de suite !*

*Je **pars** en vacances demain.*

*Ce soir, je **vais** à mon cours de karaté.*

Les verbes du deuxième groupe

Les verbes en **-ir** et sont généralement du deuxième groupe. Ils sont réguliers et au présent de l'indicatif, ils se terminent par : **-is, -is, -it, -issons, -issez, -issent**.

FINIR	ROUGIR
Je fin**is**	Je roug**is**
Tu fin**is**	Tu roug**is**
Il / Elle fin**it**	Il / Elle roug**it**
Nous fin**issons**	Nous roug**issons**
Vous fin**issez**	Vous roug**issez**
Ils / Elles fin**issent**	Ils / Elles roug**issent**

Les verbes pronominaux

Les verbes pronominaux réfléchis sont composés de deux éléments : un pronom personnel réfléchi et un verbe. Le sujet du verbe est repris par un pronom réfléchi.

SINGULIER	1re personne	me
	2e personne	te
	3e personne	se
PLURIEL	1re personne	nous
	2e personne	vous
	3e personne	se

! Devant un verbe commençant par une voyelle ou un **h** muet, **me**, **te**, **se** → **m'**, **t'**, **s'**.

*Il **s'**habille.*

Les verbes en *-eter*

Les verbes en **-eter** changent de prononciation et d'orthographe quand ils sont conjugués avec **je, tu, il / elle, ils / elles**.

On ajoute un accent grave sur le **-e**	On double la consonne qui suit le **-e**
ACHETER	JETER
J'ach**è**te	Je je**tt**e
Tu ach**è**tes	Tu je**tt**es
Il/Elle ach**è**te	Il/Elle je**tt**e
Nous ach**e**tons	Nous je**t**ons
Vous ach**e**tez	Vous je**t**ez
Ils/Elles ach**è**tent	Ils/Elles je**tt**ent

L'impératif

L'impératif sert à donner des instructions ou des ordres. Pour former l'impératif, on prend la forme du verbe conjugué au présent de l'indicatif et on supprime le pronom personnel sujet.

PRÉSENT DE L'INDICATIF	IMPÉRATIF
Tu fais des exercices.	*Fais des exercices.*
Vous faites des exercices.	*Faites des exercices.*

! Attention, pour les verbes en **-er**, on supprime le **-s** à l'impératif avec **tu**.

PRÉSENT DE L'INDICATIF	IMPÉRATIF
Tu lèves les bras.	*Lève les bras.*
Vous levez les bras.	*Levez les bras.*

Être et **avoir** sont irréguliers.

ÊTRE	AVOIR
sois	aie
soyons	ayons
soyez	ayez

L'impératif négatif

Pour former l'impératif négatif, on encadre le verbe conjugué à l'impératif par **ne** et **pas**.

Lève la jambe. ⇢ *Ne lève pas la jambe.*

Rappel : Quand **ne** est suivi d'un mot commençant par une voyelle ou un **h** muet ⇢ **n'**.

Arrose les plantes. ⇢ *N'arrose pas les plantes.*

Le passé composé

Le passé composé est un temps du passé. Il permet de rapporter des événements achevés par rapport au moment où on parle.

Le passé composé se forme avec **avoir** ou **être** conjugués au présent de l'indicatif + le participe passé du verbe conjugué.

Le passé composé avec *avoir*

On utilise le passé composé pour raconter un fait passé par rapport au moment où on parle.

Le passé composé est formé de deux éléments :

Avoir conjugué au présent + participe passé du verbe conjugué

Le participe passé des verbes dépend de leur groupe :

• Verbes en **-er** ⇢ participe passé en **-é**

Passer ⇢ *J'ai passé.*

• Verbes en **-ir** ⇢ participe passé en **-i**
Finir ⇢ *J'ai fini.*

Courir ⇢ *Il a couru.*

• Verbes en **-oir** et **-re** ⇢ participe passé en **-u**

Voir ⇢ *Nous avons vu.*
Vendre ⇢ *Vous avez vendu.*

Certains verbes font leur participe passé en **-s** ou en **-t** :

dire ⇢ **dit**, **mettre** ⇢ **mis**, **écrire** ⇢ **écrit**

faire ⇢ **fait**, **prendre** ⇢ **pris**

Avoir ⇢ eu
Être ⇢ été

Le passé composé avec *être*

Le passé composé se forme avec **être** pour :

• Les verbes de mouvement et leurs dérivés : **entrer, sortir, aller, venir, arriver, partir, retourner, monter, descendre, tomber, passer.**

• Les verbes suivants et leurs dérivés : **naître, mourir, rester.**

• Les verbes pronominaux, comme **se lever, se doucher, s'installer**...

Le participe passé s'accorde en genre et en nombre avec le sujet.

Elle est née à Paris.

L'imparfait

Pour former l'imparfait, on ajoute **-ais**, **-ais**, **-ait**, **-ions**, **-iez**, **-aient** à la base du verbe à la 1re personne du pluriel de l'indicatif présent.

	AVOIR (AVONS)
J'	avais
TU	avais
IL / ELLE	avait
NOUS	avions
VOUS	aviez
ILS / ELLES	avaient

Exception : **être**

	ÊTRE
J'	étais
TU	étais
IL / ELLE	était
NOUS	étions
VOUS	étiez
ILS / ELLES	étaient

L'imparfait est un temps simple du passé. Il indique une action, un état dont on ne précise pas les bornes temporelles (début et fin). Il permet :

• de parler d'une habitude dans le passé.

J'allais presque tous les jours à la piscine.

• de décrire des personnes, des lieux et des situations dans le passé.

Il était debout et il me regardait.

Le futur proche

Le futur proche permet d'évoquer un moment dans le futur par rapport au moment où on parle.

Le futur proche est formé de deux éléments :

Aller au présent de l'indicatif + verbe à l'infinitif :

Demain, je vais passer un test de français.
Ce soir, il va manger au restaurant.

LES MARQUEURS TEMPORELS DU FUTUR

Pour indiquer un moment dans le futur par rapport au moment où on parle, on emploie :

• **prochain(e)** :

Vous allez faire du sport la semaine prochaine.

Le mois prochain, je vais aller au musée.

L'année prochaine, je vais acheter une maison.

• jour de la semaine + **prochain** :

Lundi prochain, je vais commencer un stage.

• **dans** + durée de temps à partir du moment où on parle :

Je pars au Canada dans deux jours / dans trois semaines / dans six mois / dans un an.

LES GALLICISMES

Il existe deux structures très utilisées qui permettent d'exprimer des rapports au temps particuliers.

VENIR DE + INFINITIF	L'action s'est terminée juste avant le point de repère temporel : *Je viens de m'inscrire.*
ÊTRE EN TRAIN DE + INFINITIF	L'action en cours coïncide avec le point de repère temporel : *Je suis en train de m'inscrire.*

LA PHRASE INTERROGATIVE

• Poser une question globale ou fermée (on répond par oui ou non) :

• *Tu aimes les séries ? = Est-ce que tu aimes les séries ?*

○ *Oui, j'adore ça.*

• Poser une question partielle ou ouverte :

MOTS INTERROGATIFS	POUR POSER DES QUESTIONS SUR...
Qui	l'identité d'une personne
Que (en début de phrase) **Quoi** (en fin de phrase)	l'objet
Où	le lieu
Quand	le moment
Comment	la manière
Combien	le nombre
Combien de	la quantité
Pourquoi	la cause

Qui est ce garçon ?

Où est-ce que tu veux aller ?

Combien d'heures par semaine tu regardes des séries ?

Pourquoi tu n'aimes pas ce livre ?

Il existe trois façons de poser des questions partielles. Ces trois façons correspondent à des « manières de parler » différentes. De la plus formelle à la plus familière :

INVERSION VERBE - SUJET	*Où vas-tu ? Que fais-tu ?*
AJOUT DE *EST-CE QUE*	*Où est-ce que tu vas ? Qu'est-ce que tu fais ?*
MOT INTERROGATIF À LA FIN	*Tu vas où ? Tu fais quoi ?*

L'interrogation avec *quel(s) / quelle(s)*

Quel permet de demander des informations, des précisions sur un nom. Il existe deux constructions possibles :

• **Quel** + nom

Tu as quel âge ?

• **Quel** + **être** + groupe nominal

Quel est ton jour préféré ?

Quel s'accorde avec le nom qui suit :

	MASCULIN	FÉMININ
SINGULIER	quel	quelle
PLURIEL	quels	quelles

Quelle est ta série préférée ?

❗ L'orthographe est différente mais la prononciation est identique : **quel / quelle / quels / quelles** ⟶ [kɛl]

SAVOIR ET *CONNAÎTRE*

Pour parler d'un savoir, on utilise **connaître** + nom.

Je connais la capitale du Maroc.

Pour parler d'un savoir-faire, on utilise **savoir** + infinitif.

Je sais jouer du violon.

LES CONNECTEURS CHRONOLOGIQUES

Pour indiquer un ordre chronologique dans la réalisation d'un fait, on utilise :

(Tout) d'abord
Ensuite / Puis
Enfin

D'abord, on trouve de vieux vêtements, ensuite on prépare nos modèles, puis on les fabrique et enfin on les offre.

LES PRÉPOSITIONS

Les prépositions sont des mots invariables qui permettent de réunir deux mots.

Préposition pour les noms de pays

Les prépositions **en, au, aux, à** permettent d'indiquer le pays ou la ville où on est.

• On utilise **en** + nom de pays qui se termine par **-e** ou qui commence par une voyelle :

Tu habites en Russie ou en Italie ?

❗ Quelques exceptions : **au Mozambique, au Mexique**.

• On utilise **au** + nom de pays masculin qui commence par une consonne ou qui se termine par une autre voyelle que **-e**.

Il habite au Brésil. / Il est au Canada.

• On utilise **aux** + nom de pays au pluriel :

Il habite aux Pays-Bas.

• On utilise **à** + nom de ville :

Ils habitent à Lisbonne.

Situer dans l'espace

Pour situer dans l'espace, on emploie des mots invariables isolés ou qui se construisent avec la préposition **de** :

dans	à côté de
derrière ≠ devant	en face de
sur ≠ sous	proche de / près de ≠ loin de

Le collège est près de la médiathèque.

Aller à / Aller chez

Pour indiquer un déplacement vers un endroit désigné par :

• un nom d'établissement, on emploie : **aller à**

Je vais à la boulangerie.

• un nom de profession, on emploie : **aller chez**

Je vais chez le boulanger.

Aider à

Quand on aide quelqu'un à réaliser une action, on utilise **aider à** + infinitif.

J'aide ma sœur à faire ses devoirs.

Indiquer la matière

• Pour indiquer la matière d'un vêtement, d'un objet, on emploie indifféremment les prépositions **en** et **de**.

Je dors avec un pyjama en / de coton.

• Pour indiquer les motifs d'un tissu, on emploie la préposition **à**.

J'aime toutes les chemises : à rayures, à pois, à fleurs à carreaux ou simplement unies.

COMMUNIQUER

Donner son avis

• **Penser que** : *Je pense que c'est bien de lire.*

• **Trouver (que)** : *Je trouve que la poésie, c'est très intéressant.*

Exprimer l'obligation

Pour exprimer l'idée d'obligation, de contrainte imposée à la personne ou que la personne s'impose, on peut employer **devoir** + infinitif :

Je dois ranger ma chambre.

Exprimer un souhait, un désir

Pour exprimer un souhait, un désir, on utilise les verbes **vouloir** et **aimer** au conditionnel présent + infinitif.

VOULOIR	AIMER
Je voudrais	J'aimerais
Tu voudrais	Tu aimerais
Il voudrait	Il aimerait

J'aimerais aller au Maroc.

Je voudrais faire mes études en France.

Exprimer ses goûts

Pour exprimer ses goûts avec une intensité plus ou moins forte, on utilise :

Verbe + nom	Intensité positive	Intensité négative	Verbe + nom
Bien aimer	+	-	Ne pas beaucoup aimer
Aimer	++	--	Ne pas aimer
Aimer beaucoup	+++		

J'aime bien les épices, mais je n'aime pas beaucoup les piments.

Exprimer une quantité

On peut exprimer une quantité avec une unité représentant :

• une mesure : gramme, kilo, litre

Il faut 1 litre de lait et 250 grammes de farine.

• un contenant : boîte, paquet, bouteille

On doit acheter une boîte d'œufs, un paquet de café et une bouteille de jus de fruit.

• une forme : tablette, plaquette, tranche

J'ai besoin de deux tablettes de chocolat, d'une plaquette de beurre et de six tranches de pain.

! Après l'expression de la quantité, on utilise toujours **de / d'**.

Indiquer l'heure

Pour indiquer l'heure : **Il est** + nombre + heure(s)

! **Il est** ne s'accorde pas en nombre.

Il est une heure. / Il est deux heures.

00:00	*Il est minuit.*
12:00	*Il est midi.*
09:15	*Il est neuf heures et quart.*
09:20	*Il est neuf heures vingt.*
09:30	*Il est neuf heures et demie.*
09:40	*Il est dix heures moins vingt.*
09:45	*Il est dix heures moins le quart.*
09:50	*Il est dix heures moins dix.*

HEURE PRÉCISE	à	*Je me couche à 21 h 15.*
HEURE APPROXIMATIVE	vers	*Je dîne vers 19 h.*
INTERVALLE DE TEMPS	de... à...	*Je vais au collège de 8 h 30 à 16 h.*

Pour demander le nombre d'heures :

- *Combien d'heures par semaine tu fais du sport ?*
- *Trois heures par semaine.*

Exprimer l'interdiction

Pour exprimer une interdiction applicable à tout le monde ou à un groupe, on utilise :

DES VERBES IMPERSONNELS (employés seulement à la troisième personne du singulier, avec **il**)	• **Il ne faut pas** + infinitif *Il ne faut pas manger en classe.* • **Il est / C'est interdit de** + infinitif *Il est / C'est interdit de manger en classe.*
DES VERBES CONJUGUÉS AVEC LE PRONOM INDÉFINI *ON*	• **On n'a pas le droit de** + infinitif : *On n'a pas le droit de manger en classe.* • **On n'est pas autorisé à** + infinitif : *On n'est pas autorisé à manger en classe.*

Dire le temps qu'il fait

Pour dire le temps qu'il fait, on emploie des verbes qui se conjuguent uniquement à la troisième personne du singulier (il).

- Avec le verbe **faire**

Il fait froid / chaud / beau / mauvais / soleil / gris / nuageux / humide / 32 degrés.

- Avec les verbe **neiger**, **pleuvoir**, **venter**, **geler**

Il neige. Il pleut. Il vente. Il gèle.

Exprimer la nécessité

Pour exprimer le besoin de quelque chose, on utilise l'expression **avoir besoin de / d'** :

j'ai besoin de chocolat et d'un litre de lait.

Quand la nécessité de faire quelque chose ne s'applique pas à une personne en particulier, on utilise :

- **Il faut** (falloir) + infinitif

En France, il faut économiser l'énergie.

Il / C'est nécessaire de (être nécessaire de) + infinitif

Pour devenir archéologue, il / c'est nécessaire d'avoir un diplôme.

Comparer et classer

Pour comparer ou classer des époques, des lieux, des personnes, des choses, etc., on utilise des adverbes.

LES COMPARATIFS
Supériorité :

- **plus** + nom / adjectif / adverbe (+ **que**) :

Elle est plus sympa que sa copine.

! **Bon** ⟶ **meilleur ; Bien** ⟶ **mieux**
- verbe + **plus** (**que**) :

J'aime plus les gîtes que les campings.

Infériorité :

- **moins** + nom / adjectif / adverbe (+ **que**) :

Il est moins gentil que son frère.

Mauvais ⟶ **pire**

Égalité :

- **aussi** + adjectif / adverbe (+ **que**) :

Elle est aussi sympa que sa copine.

- **autant de** + nom (+ **que de**) :

Il y a autant de maisons que d'appartements.

verbe + **autant** (**que**) :

J'aime autant les gîtes que les campings.

LES SUPERLATIFS
Le superlatif indique l'infériorité ou la supériorité d'un élément par rapport à la totalité de l'ensemble qui est introduit par **de**.

SUPÉRIORITÉ	INFÉRIORITÉ
Le / la / les plus + adjectif (**de**) *C'est le bâtiment le plus beau de la ville.*	**Le / la / les moins** + adjectif (**de**) *C'est la lampe la moins chère.*
Verbe + **le plus** (**de**) *C'est le bâtiment que j'aime le plus.*	Verbe + **le moins** (**de**) *C'est la lampe que j'aime le moins.*

	PRÉSENT DE L'INDICATIF	PASSÉ COMPOSÉ	IMPARFAIT	IMPÉRATIF
AVOIR	J' ai	J' ai eu	J' avais	
	Tu as	Tu as eu	Tu avais	aie
	Il / Elle / On a	Il / Elle / On a eu	Il / Elle / On avait	
	Nous avons	Nous avons eu	Nous avions	ayons
	Vous avez	Vous avez eu	Vous aviez	ayez
	Ils / Elles ont	Ils / Elles ont eu	Ils / Elles avaient	
ÊTRE	Je suis	J' ai été	J' étais	
	Tu es	Tu as été	Tu étais	sois
	Il / Elle / On est	Il / Elle / On a été	Il / Elle / On était	
	Nous sommes	Nous avons été	Nous étions	soyons
	Vous êtes	Vous avez été	Vous étiez	soyez
	Ils / Elles sont	Ils / Elles ont été	Ils / Elles étaient	

Verbes en -*er*

CONSEILLER	Je conseille	J' ai conseillé	Je conseillais	
	Tu conseilles	Tu as conseillé	Tu conseillais	conseille
	Il / Elle / On conseille	Il / Elle / On a conseillé	Il / Elle / On conseillait	
	Nous conseillons	Nous avons conseillé	Nous conseillions	conseillons
	Vous conseillez	Vous avez conseillé	Vous conseilliez	conseillez
	Ils / Elles conseillent	Ils / Elles ont conseillé	Ils / Elles conseillaient	

Formes particulières

ALLER	Je vais	Je suis allé(e)	J' allais	
	Tu vas	Tu es allé(e)	Tu allais	va
	Il / Elle / On va	Il / Elle / On est allé(e)(s)	Il / Elle / On allait	
	Nous allons	Nous sommes allé(e)s	Nous allions	allons
	Vous allez	Vous êtes allé(e)(s)	Vous alliez	allez
	Ils / Elles vont	Ils / Elles sont allé(e)s	Ils / Elles allaient	

Les participes des verbes comme **aller**, qui font leur passé composé avec **être**, s'accordent avec le sujet : *elle est née ; ils sont partis ; on est entrés / entrées* (quand **on** remplace **nous**).

APPELER	J' appelle	J' ai appelé	J' appelais	
	Tu appelles	Tu as appelé	Tu appelais	appelle
	Il / Elle / On appelle	Il / Elle / On a appelé	Il / Elle / On appelait	
	Nous appelons	Nous avons appelé	Nous appelions	appelons
	Vous appelez	Vous avez appelé	Vous appeliez	appelez
	Ils / Elles appellent	Ils / Elles ont appelé	Ils / Elles appelaient	
JETER	Je jette	J' ai jeté	Je jetais	
	Tu jettes	Tu as jeté	Tu jetais	jette
	Il / Elle / On jette	Il / Elle / On a jeté	Il / Elle / On jetait	
	Nous jetons	Nous avons jeté	Nous jetions	jetons
	Vous jetez	Vous avez jeté	Vous jetiez	jetez
	Ils / Elles jettent	Ils / Elles ont jeté	Ils / Elles jetaient	

LES VERBES EN -IR

CHOISIR

Je	choisis	J'	ai choisi	Je	choisissais	
Tu	choisis	Tu	as choisi	Tu	choisissais	choisis
Il / Elle / On	choisit	Il / Elle / On	a choisi	Il / Elle / On	choisissait	
Nous	choisissons	Nous	avons choisi	Nous	choisissions	choisissons
Vous	choisissez	Vous	avez choisi	Vous	choisissiez	choisissez
Ils / Elles	choisissent	Ils / Elles	ont choisi	Ils / Elles	choisissaient	

❗ Les verbes **dormir**, **finir** et **réussir** se conjuguent sur ce modèle.

SORTIR

Je	sors	Je	suis sorti(e)	Je	sortais	
Tu	sors	Tu	es sorti(e)	Tu	sortais	sors
Il / Elle / On	sort	Il / Elle / On	est sorti(e)(s)	Il / Elle / On	sortait	
Nous	sortons	Nous	sommes sorti(e)s	Nous	sortions	sortons
Vous	sortez	Vous	êtes sorti(e)(s)	Vous	sortiez	sortez
Ils / Elles	sortent	Ils / Elles	sont sorti(e)s	Ils / Elles	sortaient	

DÉCOUVRIR

Je	découvre	J'	ai découvert	Je	découvrais	
Tu	découvres	Tu	as découvert	Tu	découvrais	découvre
Il / Elle / On	découvre	Il / Elle / On	a découvert	Il / Elle / On	découvrait	
Nous	découvrons	Nous	avons découvert	Nous	découvrions	découvrons
Vous	découvrez	Vous	avez découvert	Vous	découvriez	découvrez
Ils / Elles	découvrent	Ils / Elles	ont découvert	Ils / Elles	découvraient	

VENIR

Je	viens	Je	suis venu(e)	Je	venais	
Tu	viens	Tu	es venu(e)	Tu	venais	viens
Il / Elle / On	vient	Il / Elle / On	est venu(e)(s)	Il / Elle / On	venait	
Nous	venons	Nous	sommes venu(e)s	Nous	venions	venons
Vous	venez	Vous	êtes venu(e)(s)	Vous	veniez	venez
Ils / Elles	viennent	Ils / Elles	sont venu(e)s	Ils / Elles	venaient	

LES VERBES EN -RE

	PRÉSENT DE L'INDICATIF		PASSÉ COMPOSÉ		IMPARFAIT	IMPÉRATIF
FAIRE	Je	fais	J'	ai fait	Je	faisais	
	Tu	fais	Tu	as fait	Tu	faisais	fais
	Il / Elle / On	fait	Il / Elle / On	a fait	Il / Elle / On	faisait	
	Nous	faisons	Nous	avons fait	Nous	faisions	faisons
	Vous	faites	Vous	avez fait	Vous	faisiez	faites
	Ils / Elles	font	Ils / Elles	ont fait	Ils / Elles	faisaient	

LES VERBES EN -TRE

CONNAÎTRE

Je	connais	J'	ai connu	Je	connaissais	
Tu	connais	Tu	as connu	Tu	connaissais	connais
Il / Elle / On	connait	Il / Elle / On	a connu	Il / Elle / On	connaissait	
Nous	connaissons	Nous	avons connu	Nous	connaissions	connaissons
Vous	connaissez	Vous	avez connu	Vous	connaissiez	connaissez
Ils / Elles	connaissent	Ils / Elles	ont connu	Ils / Elles	connaissaient	

LES VERBES EN -*IRE*

	PRÉSENT DE L'INDICATIF		PASSÉ COMPOSÉ		IMPARFAIT		IMPÉRATIF
DIRE	Je	dis	J'	ai dit	Je	disais	
	Tu	dis	Tu	as dit	Tu	disais	dis
	Il / Elle / On	dit	Il / Elle / On	a dit	Il / Elle / On	disait	
	Nous	disons	Nous	avons dit	Nous	disions	disons
	Vous	dites	Vous	avez dit	Vous	disiez	dites
	Ils / Elles	disent	Ils / Elles	ont dit	Ils / Elles	disaient	
LIRE	Je	lis	J'	ai lu	Je	lisais	
	Tu	lis	Tu	as lu	Tu	lisais	lis
	Il / Elle / On	lit	Il / Elle / On	a lu	Il / Elle / On	lisait	
	Nous	lisons	Nous	avons lu	Nous	lisions	lisons
	Vous	lisez	Vous	avez lu	Vous	lisiez	lisez
	Ils / Elles	lisent	Ils / Elles	ont lu	Ils / Elles	lisaient	

LES VERBES EN -*OIR*

	PRÉSENT DE L'INDICATIF		PASSÉ COMPOSÉ		IMPARFAIT		IMPÉRATIF
VOIR	Je	vois	J'	ai vu	Je	voyais	
	Tu	vois	Tu	as vu	Tu	voyais	vois
	Il / Elle / On	voit	Il / Elle / On	a vu	Il / Elle / On	voyait	
	Nous	voyons	Nous	avons vu	Nous	voyions	voyons
	Vous	voyez	Vous	avez vu	Vous	voyiez	voyez
	Ils / Elles	voient	Ils / Elles	ont vu	Ils / Elles	voyaient	
POUVOIR	Je	peux	J'	ai pu	Je	pouvais	
	Tu	peux	Tu	as pu	Tu	pouvais	
	Il / Elle / On	peut	Il / Elle / On	a pu	Il / Elle / On	pouvait	
	Nous	pouvons	Nous	avons pu	Nous	pouvions	
	Vous	pouvez	Vous	avez pu	Vous	pouviez	
	Ils / Elles	peuvent	Ils / Elles	ont pu	Ils / Elles	pouvaient	
VOULOIR	Je	veux	J'	ai voulu	Je	voulais	
	Tu	veux	Tu	as voulu	Tu	voulais	
	Il / Elle / On	veut	Il / Elle / On	a voulu	Il / Elle / On	voulait	
	Nous	voulons	Nous	avons voulu	Nous	voulions	
	Vous	voulez	Vous	avez voulu	Vous	vouliez	
	Ils / Elles	veulent	Ils / Elles	ont voulu	Ils / Elles	voulaient	
DEVOIR	Je	dois	J'	ai dû	Je	devais	
	Tu	dois	Tu	as dû	Tu	devais	
	Il / Elle / On	doit	Il / Elle / On	a dû	Il / Elle / On	devait	
	Nous	devons	Nous	avons dû	Nous	devions	
	Vous	devez	Vous	avez dû	Vous	deviez	
	Ils / Elles	doivent	Ils / Elles	ont dû	Ils / Elles	devaient	
SAVOIR	Je	sais	J'	ai su	Je	savais	
	Tu	sais	Tu	as su	Tu	savais	sache
	Il / Elle / On	sait	Il / Elle / On	a su	Il / Elle / On	savait	
	Nous	savons	Nous	avons su	Nous	savions	sachons
	Vous	savez	Vous	avez su	Vous	saviez	sachez
	Ils / Elles	savent	Ils / Elles	ont su	Ils / Elles	savaient	

❗ L'impératif de **pouvoir** n'est pas utilisé.

❗ À part **veuillez**, dans des lettres très formelles, l'impératif de **vouloir** n'est pas utilisé.

❗ L'impératif de **devoir** n'est pas utilisé.

UNITÉ 1

Piste 1 (activité 2A)

- Yassir, tu veux du poisson pour le dîner de ce soir ?
- Ah beurk ! Je déteste le poisson...
- Je sais, mais ton père adore ! Pour toi, on prend de la viande? Du poulet ?
- Ah, oui, j'adore ça !
- Moi aussi ! On va prendre des carottes et des pommes de terre pour un tajine : vous adorez ça avec papa.
- Oui, super ! Maman, regarde ! Des oranges, mmm !
- OK, on prend des oranges. D'autres fruits ? Il y a des pommes... Bon, papa n'aime pas les pommes, mais toi tu aimes ça, non ?
- Oui, j'adore ! Regarde maman, il y a des dattes aussi : tout le monde aime les dattes à la maison !
- D'accord !

Piste 2 (activité 5A)

- Bonjour ! Vous avez choisi ?
- Oui, moi je vais prendre la salade de tomates en entrée, et comme plat le couscous.
- Pour moi, la salade niçoise et comme plat les moules-frites. Et toi, Zoé ?
- Je n'ai pas très faim. Je veux juste un plat : le couscous.
- Très bien, et comme dessert ?
- La tarte au citron, s'il vous plaît !
- Et deux tartes aux pommes.
- Et comme boisson ?
- De l'eau !
- C'est noté ! Merci !

Piste 3 (activité 6B)

- Coucou les amis ! Ça va ?
- Salut Elsa ! Oui, ça va ! Et toi, Zoé ?
- Oui, super ! Au fait, la fête pour Yassir, c'est samedi. Est-ce que vous savez combien d'argent on a pour organiser la fête ?
- Oui, on a 50 euros.
- Parfait, alors comment on s'organise pour les courses ?
- Moi, je vais chez l'épicier pour acheter le chocolat et les fraises pour le milk-shake rose et les cookies.
- Super, merci Elsa ! On achète quoi d'autre ?
- On peut acheter des bonbons. Je peux aller chez le boulanger.
- Bonne idée ! Et le cadeau ?
- Je m'en occupe. Tout à l'heure, je vais à la librairie. J'achète une BD, si vous voulez.
- Parfait ! On se voit demain alors ?
- D'accord, à demain !
- À plus !

Piste 4 (activité 5 – phonétique)

1. Ils vont au marché.
2. Tu entends ?
3. Ils dansent bien !
4. C'est un bon plat.
5. Écoute l'annonce.

UNITÉ 2

Piste 5 (activité 2A)

- Bonjour Céline, alors, dis-moi, tu as une idée de ce que tu aimerais faire comme études ou peut-être comme profession ?
- Bonjour monsieur. En fait je suis un peu perdue, je ne sais pas quelle profession choisir...
- Ne t'inquiète pas. Pour l'instant, tu ne dois pas choisir une profession, mais commencer à réfléchir pour définir une orientation. Par exemple : quelles sont tes matières préférées ?
- J'adore l'éducation civique, l'anglais et l'histoire. Par contre, je déteste les sciences physiques.
- D'accord. Et par exemple, comment ça se passe en biologie et en mathématiques ?

- Ça va, j'ai de bonnes notes, mais ça ne m'intéresse pas beaucoup.
- D'accord, donc tu vois, déjà on peut éliminer les études scientifiques. Et qu'est-ce que tu aimes faire ?
- Hum... L'actualité m'intéresse beaucoup. Je passe beaucoup de temps sur Internet et sur les réseaux sociaux pour m'informer. J'aime beaucoup les cours de français aussi, et j'aime écrire. Ah, et j'adore aussi prendre des photos, quand je voyage.
- C'est très bien ! Avec ça, nous pouvons déjà avoir quelques idées d'orientation ! On se voit une prochaine fois pour en parler.
- Très bien, merci !

Piste 6 (activité 4A-B)

- Bonjour ! Est-ce que je peux te poser une question ?
- Oui, bien sûr.
- Est-ce que tu participes à des projets solidaires ?
- Oui, la semaine prochaine, je vais participer à une collecte alimentaire.
- Ah c'est bien ! Et c'est organisé par qui ?
- La collecte est organisée par un supermarché à côté de chez moi. Ils organisent régulièrement des collectes et ça fait longtemps que je veux y participer.
- Très bien ! Et toi, est-ce que tu participes à des projets solidaires ?
- L'année prochaine, je vais m'inscrire à un programme de tutorat au collège pour aider les élèves en difficultés à faire leurs devoirs.
- Et tu vas les aider dans quelles matières ?
- En mathématique et histoire parce j'aime bien ça et j'ai de bonnes notes.
- Bonjour est-ce que tu fais du bénévolat ?
- Oui et je vais partir le mois prochain dans les Alpes pour un chantier solidaire.
- Et qu'est-ce que tu vas faire exactement ?
- Je vais aider à planter des arbres dans la forêt, nettoyer les chemins. En plus, il y a des adolescents d'autres pays. Ça va être sympa !
- Parfait, merci beaucoup !

Piste 7 (activité 5C)

- Bonjour à tous ! Aujourd'hui, nous allons parler avec nos invités de leur profession. Pour commencer, Arno, tu es youtubeur : d'après toi, quelles sont les qualités pour réussir sur YouTube ?
- Pour avoir du succès avec des vidéos sur YouTube, il faut toujours trouver des sujets originaux et savoir réaliser une vidéo marrante. Il faut connaître des choses qui vont passionner le public !
- Et toi, Émilie ? Quel est ton métier ?
- Je suis décoratrice d'intérieur.
- Et quelles sont les qualités pour réussir comme décoratrice ?
- Je pense que, dans ma profession, il faut connaître les nouvelles tendances de décoration pour proposer aux clients un projet qui leur plait.
- Et toi, Camille : tu es animatrice radio, comme moi. Pour toi, quelles sont les qualités d'une bonne animatrice radio ?
- Pour travailler à la radio, je pense qu'il faut savoir parler clairement et surtout connaître parfaitement le programme de l'émission !
- Très intéressant ! Merci de nous faire découvrir vos professions ! Maintenant, nous continuons nos programmes avec...

Piste 8 (activité 3 – phonétique)

1. Ils veulent venir demain.
2. Elle veut étudier l'anglais.
3. Il veut aller à l'université.
4. Elles veulent faire un stage en entreprise.
5. Il veut devenir coiffeur.

UNITÉ 3

Piste 9 (activité 2B)

- Regarde Mathilde, sur le site web de l'agence, il y a les offres que nous avons vues ce matin.
- Super ! On regarde ça ensemble ?
- Moi, j'aimerais bien partir en vacances au Canada. On peut faire du chien de traîneau. Et toi, tu pourrais faire du ski ! Regarde, comme c'est beau : les rivières, les montagnes, les lacs... Toi, qui adores la nature ! Et puis, on pourrait aller visiter Montréal et les chutes du Niagara !
- Moi, je préfère le Viêt Nam. Ça a l'air super beau, toutes les petites îles dans la baie d'Halong. Et puis, regarde ça, les belles plages de sable blanc !
- Oui, mais... tu veux aller à la mer en décembre ?
- Oui... Pourquoi pas ? Et en plus, au Viêt Nam, on pourrait visiter des temples, des pagodes...
- Écoute, on en parle avec ton père ce soir, d'accord ?
- Oui, d'accord.

Piste 10 (activité 3C)

- Chloé, tu m'entends ?
- Oui, salut Mélissa ! Ça va ?
- Oui, très bien, et toi ?
- Oui. Et Paul, il est là ?
- Oui, je suis là ! Chloé, ça va à Strasbourg ? Il fait quel temps ?
- Hier, il a neigé. J'aime bien quand il neige, mais il fait super froid ! Hier, avec mon frère, on a fait une bataille de boules de neige. C'était trop drôle !
- Moi, j'aime pas quand il fait froid. Ici à Saint-Denis, il fait très chaud, et moi, j'adore quand il fait chaud.
- À Bordeaux, il pleut aujourd'hui et je suis à la maison et je regarde la saison de *Riverdale*.
- Haha, Paul et ses séries ! Ah, vous me manquez les copains !

Piste 11 (activité 5B)

- Nous sommes avec Camille José. Elle travaille à l'office du tourisme de la ville de Strasbourg et elle nous parle aujourd'hui des différentes activités qu'on peut faire à Strasbourg. Bonjour, Camille. Selon toi, Strasbourg, c'est une ville pour les jeunes ?
- Oui, bien sûr ! Et il y a des activités pour tous les goûts ! Par exemple, si vous aimez la nature, le mieux, c'est d'aller au parc de l'Orangerie, pour se promener ou lire un livre.
- Oui, ça, c'est l'idéal ! Et si on veut visiter un quartier typique de Strasbourg ?
- Le plus sympa, c'est de visiter la Petite France. C'est un quartier historique et le véritable cœur du vieux Strasbourg.
- Très bien. Et pour les sportifs ? Qu'est-ce que vous proposez ?
- Sans aucun doute, si vous aimez les sports, l'idéal, c'est d'aller à la patinoire Iceberg. On peut faire du patin, danser sur la glace...
- Merci pour toutes ces propositions, Camille, et bonne fin de journée.

Piste 12 (activité 2 – phonétique)

1. J'ai fait mon devoir.
2. J'ai fait un gâteau au chocolat.
3. J'ai fait un voyage en Argentine.
4. Je fais de la danse.
5. Je fais une fête avec mes amis.

UNITÉ 4

Piste 13 (activité 2B)

- Bonjour à tous, et bienvenue à l'émission Notre planète. Aujourd'hui, nous sommes avec Julien Blanc, expert en écologie et en énergies renouvelables. Bonjour, monsieur Blanc.
- Bonjour à vous.
- Je vous remercie d'être avec nous. Vous allez nous parler d'une personnalité très importante dans le secteur des énergies propres, c'est-à-dire Yvan Bourgnon. Tout d'abord, qui est Yvan Bourgnon ?
- Yvan est un navigateur franco-suisse.
- Et pourquoi est-il si connu ?

- Il a fait le tour du monde en solitaire sur un petit bateau et il a remarqué la pollution plastique dans les océans. Ce plastique est partout.
- Et qu'est-ce qu'il a décidé de faire alors ?
- Il a créé l'association *The Sea Cleaners* et il a lancé son projet de bateau Le Manta pour nettoyer les océans.
- Intéressant, n'est-ce pas ? Et comment fonctionne ce bateau?
- C'est un bateau à éoliennes. À l'intérieur, il y a des outils pour compacter et trier les déchets qu'il collecte dans l'océan.
- C'est vraiment un excellent projet qui va sûrement aider à diminuer la pollution des mers et des océans. Merci Julien Blanc de nous en avoir parlé.
- Merci à vous.

Piste 14 (activité 3B-C)

- Salut Anaïs, j'ai vu ton Instagram. J'aimerais bien faire ton super objet récup'. Tu as fait comment ?
- Et bien j'ai peint un pot à confiture, et après, j'ai découpé un cœur dans du papier doré.
- Ah, mais je n'ai pas de papier doré...
- C'est pas grave. Tu peux aussi prendre du papier blanc et le colorier de la couleur que tu veux.
- Bonne idée ! Et j'ai aussi des jolies gommettes et je vais les coller sur le pot.
- Ça va être très joli !

Piste 15 (activité 5C)

- Thibault, aide-moi à organiser ta chambre, s'il te plaît. Il y a trop de vêtements... Tu vois, par exemple, ce pantalon vert ?
- Oui, je l'adore !
- Mais il est trop petit...
- Mmm oui, tu as raison...
- D'accord, je le mets ici pour le donner. Et cette chemise ?
- Je ne la porte jamais ! Je n'aime pas la couleur.
- D'accord, alors tu peux la donner aussi. Et ces chaussures ?
- Je les aime bien !
- Mais... regarde, elles sont complètement abîmées !
- Ah oui, c'est vrai !
- On peut les recycler. Et ce pull ? Il est vieux ! Tu peux le donner aussi !
- Non ! Je l'adore ! Je peux le garder ? S'il te plaît !
- Bon, d'accord.
- Merci, maman !

Piste 16 (activité 7 – phonétique)

1. Ce manteau est magnifique !
2. Tu veux vraiment ces chaussures ?
3. Ce devoir de math est très difficile.
4. Tu peux faire un agenda avec ces objets.
5. Ces baskets sont trop belles !

UNITÉ 5

Piste 17 (1)

- Allez allez, le cours va commencer, vous mettez vos téléphones en silencieux et vous dites temporairement au revoir à vos gadgets préférés !
- Je n'ai pas le droit de garder ma tablette, monsieur ? C'est pratique pour prendre des notes !
- Mais tu peux aussi t'en servir pour aller sur Internet où se trouvent les réponses du contrôle, alors je préfère que tu la ranges avec ton téléphone éteint, s'il te plaît.
- Les cours, c'est le seul moment où on est obligés d'éteindre notre smartphone... C'est super difficile, on les utilise pour compter, pour trouver des informations, pour organiser notre vie sociale... pour tout !
- Aujourd'hui, ils font tout pour vous, ces téléphones, il ne faut pas les utiliser 24 heures sur 24, sinon vous n'allez pas pouvoir penser tout seuls !
- Moi, je suis tellement accro à Instagram, heureusement que c'est interdit pendant la journée...
- Mon truc, c'est plutôt la pâte slime ! Ne vous inquiétez pas monsieur, je vais la mettre dans mon sac pendant le cours.

- La pâte slime ? C'est quoi, ce truc ? Un autre gadget technologique ?
- Non non, c'est une espèce de pâte, un peu comme une pâte quand on fait des gâteaux, mais plus dure...
- ▶ Oui, un peu plus ferme... Et très collante !
- ○ Vous pouvez la préparer : vous faites un mélange d'eau, de colle, de colorants... Ou sinon, vous l'achetez : elle existe en toutes les couleurs !
- Le professeur : C'est nouveau, ça ! Et ça sert à quoi ?
- ▶ C'est génial pour se détendre, vous pouvez la rouler en boule, tirer dessus... C'est super agréable !

Piste 18 (5)

1. Sam
Je tchatte avec des inconnus chaque weekend quand je joue en réseau et personne n'a été malpoli ou agressif envers moi. Je n'ai jamais été insulté, au contraire : certains joueurs en ligne sont devenus des amis, on discute à chaque fois qu'on est connectés au même moment !

2. Louise
J'ai eu quelques mauvaises expériences avec des contenus que je ne veux vraiment pas voir, et qui sont apparus quand je suis allée sur un site de téléchargement. Maintenant, à chaque fois que je veux télécharger une série, je demande à ma grande sœur de m'accompagner.

Piste 19 (Phonétique, 2)

a. Ils ont.
b. Ils sont.
c. Ils sont.
d. Ils ont.

UNITÉ 6

Piste 20 (2)

- Allô ?
- ○ Bonjour, mon ami Julien m'a dit que vous louiez une maison sur Rennes. Il m'a donné votre numéro. Je vous appelle pour avoir des renseignements, s'il vous plaît.
- Oui bien sûr !
- ○ Voilà, je voudrais savoir combien de personnes elle peut accueillir.
- Il y a deux chambres qui ont chacune un lit deux personnes et il y a aussi un canapé-lit dans le salon. Donc au total vous pouvez dormir à 6.
- ○ Très bien. Et il y a donc deux salles de bain ?
- Non. Il n'y en a qu'une seule. Mais elle est super grande, avec deux lavabos, une baignoire et une douche.
- ○ Ah... Ce n'est pas très pratique... Et en équipement ?
- La maison est tout équipée : télé et console de jeux dans le salon, four micro-ondes et lave-vaisselle dans la cuisine, lave-linge et sèche-linge dans le garage... et il y a aussi le wi-fi.
- ○ Parfait ! Et en extérieur ?
- Nous avons un grand jardin avec terrasse et barbecue.
- ○ Très bien. Et y a-t-il des commerces à proximité ?
- Il y en a quelques-uns dans le village en effet.
- ○ Parfait, ça m'intéresse. Et elle libre la première semaine de juillet ?
- Ah non, désolée, elle est occupée tout le mois de juillet !
- ○ Oh non ! Zut !!
- Attendez... mon voisin loue lui aussi une maison mais elle est plus petite et sans Internet, mais elle a une piscine. Ça vous intéresserait ?
- ○ Pourquoi pas !
- Dans ce cas, je vous donne son numéro de téléphone.
- ○ Ah, merci !!

Piste 21 (3)

- Maman, j'aimerais bien changer quelques meubles de ma chambre. Regarde sur ce catalogue, il y a des bureaux sympas. Il est bien ce bureau vintage, tu ne trouves pas ?
- ○ Oui... mais regarde, les tiroirs sont trop petits. Il te faut un bureau plus grand. Comme celui-ci, le bureau industriel. Il y a plus d'espace pour le rangement, tu vois. Avec tous tes cahiers et tes livres, tu as besoin de grands tiroirs !

- C'est vrai, tu as raison. Et dans le même style, je pourrais aussi prendre la table de chevet à roulettes... Mais j'aime bien aussi la malle...
- ○ Elle est belle en effet, mais je pense que la table de chevet à roulettes est plus pratique.
- Oh, c'est pas grave ! Et puis dans la malle je peux y mettre toutes mes affaires. Et puis ça change une malle, la table de chevet que j'ai déjà me plaît encore.
- ○ Bon, d'accord. Regarde, il y a des coussins sympas aussi. J'adore ce coussin vintage !
- Ah ouais ! J'aime bien le message « vintage » écrit dessus. Et puis il va bien avec la malle ! Plus que le gris...
- ○ Oui...
- On pourrait aussi changer la lampe, non ?
- ○ D'accord, je te laisse la choisir.
- J'hésite entre cette lampe noire et la grise. Je trouve que la noire c'est la mieux...
- ○ C'est comme tu veux, j'aime autant l'une que l'autre.
- Ok, eh bien... je vais prendre la grise.
- ○ Parfait ! On ira ensemble samedi au magasin pour acheter tout ça !
- Merci maman !!!

Piste 22 (Phonétique, 3)

1. Cet appartement est plus grand.
2. Cette maison est plus écologique.
3. Le vert, c'est la couleur que j'aime le plus.
4. Nous avons plus de chaises.

UNITÉ 7

Piste 23 (1)

- Camille, tu préfères quoi toi, les séries ou les films ?
- ○ Moi, ben, je suis fan de séries, je regarde plusieurs épisodes à la suite en général !
- Ah ouais ! Et quel genre te plaît le plus ?
- ○ Je suis plutôt science-fiction, genre la série *Mars*, tu vois ? Ça parle de gens qui vont aller vivre sur la planète Mars.
- Ah non, je ne connais pas ! Ça a l'air cool.
- ○ Ouais c'est pas mal. Et toi, t'es plutôt films ou séries ?
- En fait, moi j'aime surtout lire, je regarde pas beaucoup la télé.
- ○ Ah ouais ! Et tu lis quoi comme bouquins ?
- J'adore les BD d'aventures.
- ○ Comme quoi ?
- Ben... les Aventures de Corto Maltese par exemple. C'est super bien !

Piste 24 (2)

- Alors Eric, tu as déjà lu les poèmes de Senghor ?
- ○ Oui, j'ai aimé « Poème à mon frère blanc », il est sympa. Mais en général je n'aime pas trop la poésie. Je trouve ça ennuyeux...
- Moi, je trouve ça chouette la poésie. Mais il faut s'y habituer, au début c'est compliqué à comprendre. Ensuite, on commence à aimer ça !
- ○ Je ne sais pas...
- Moi, j'ai commencé à lire les contes d'Amadou Koumba !
- ○ Ah bon ? Moi pas encore, mais j'ai envie de lire ces contes ! Est-ce que ça te plaît ?
- Oui, beaucoup, je lis chaque jour un conte. Je trouve ça super intéressant ! Et tu sais quoi ? La prof a dit qu'un griot sénégalais va venir à l'école pour nous raconter une des histoires !
- ○ C'est génial !
- Oui, c'est super !
- ○ Bon, je vais aller regarder ma série préférée, je te laisse.

Piste 25 (3)

J'ai sorti mon gouter et lui ai donné.
Au lieu de se jeter dessus, comme d'habitude, il m'a regardée longuement puis est monté sur mes genoux et s'est frotté à moi... Quelle surprise ! Moi qui le trouvais si sauvage !
Je l'ai caressé et câliné puis nous sommes rentrés ensemble à la maison...
À ma plus grande joie, mes parents ont accepté qu'il reste avec nous.
C'était la première fois que j'adoptais un chat.

Piste 26 (4)

La hyène était là, elle n'avait plus rien à manger. Elle avait si faim qu'elle n'en pouvait plus. Dans les rues du village, chaque fois qu'elle passait, elle voyait un aveugle debout, aux entrées des maisons, disant seulement des formules magiques. Les gens lui donnaient de la nourriture qu'il mettait dans ses sacs jusqu'à ce qu'ils soient pleins à craquer.

La hyène regardait ces sacs. Partout où elle se rendait, elle était chassée. Elle se mit à regarder cet aveugle, chaque jour, lorsque l'aveugle disait : « Lahi la la ! », on lui donnait de la nourriture, jusqu'à ce que ses sacs soient pleins à craquer. Il rentrait chez lui.

La hyène dit à l'aveugle : « Hé ! As-tu envie de retrouver la vue ? »
L'aveugle dit : « C'est tout ce que je demande à Dieu le Maitre ! »
Elle dit : « Pour ce qui me concerne, moi, je veux être aveugle ! »
La hyène ajouta : « Veux-tu que nous fassions un échange et que tu m'apprennes tes incantations ? »
L'aveugle lui répondit : « Oui, je t'apprendrai les formules magiques, ainsi tu pourras demander l'aumône ! »

La hyène devint aveugle et l'aveugle retrouva la vue. L'aveugle lui remit les formules magiques. Le premier jour, elle récita les formules magiques et remplit ses sacs avec de la nourriture jusqu'à ce qu'ils soient pleins à ras bord.

La hyène alla se coucher dans sa case et se mit à parloter. Dès qu'elle commença à sentir la faim, elle accrocha les sacs à ses épaules. Elle arriva à mi-chemin et oublia les formules ! Elle ne connaissait plus les formules magiques, et elle ne pouvait plus savoir qui était l'aveugle.
Alors, elle resta là, bêtement !

Piste 27 (5)

1. C'est vraiment nul, j'ai pas du tout aimé l'histoire !
2. C'est très réussi, j'ai accroché. Les personnages sont super !
3. C'est un chef d'œuvre, j'ai A-DO-RÉ le style ! Je vous le conseille !
4. Très décevant ! Je n'ai même pas fini l'histoire !
5. Vraiment, on s'ennuie pas ! Quand tu commences, tu as envie de connaître la fin !
6. C'est une perte de temps ! J'ai d'autres choses à faire !
7. INTERMINABLE ! J'en peux plus, c'est beaucoup trop long !
8. L'histoire est trop bien, à ne pas rater !

Piste 28 (Phonétique, 8)

a. Tu les regardes quand ?
b. Tu regardes combien d'épisodes ?
c. Tu recommandes quelle série ?
d. Tu les regardes avec qui ?

UNITÉ 8

Piste 29 (2)

1.
• Cette semaine, pour le journal d'informations du collège, un reportage sur la Nuit du Bénévolat, où j'ai demandé à plusieurs jeunes pourquoi ils étaient présents et s'ils trouvaient leur bonheur. Écoutons-les !
○ Salut, moi c'est Mickaël et je suis en train de chercher l'association parfaite pour moi ! Le problème des personnes âgées isolées et qui ont des difficultés à vivre seules me touche beaucoup. J'ai envie de devenir bénévole, de passer quelques heures par semaine à aider, si je peux ! Ce soir, il y a plus de 800 associations, donc je suis sûr que je vais trouver une asso qui défend ma cause. J'ai vu des bénévoles avec des blouses qui invitaient à se mobiliser pour les enfants hospitalisés et les personnes âgées. Je vais aller leur parler !

Piste 30 (2)

2.
▪ Je m'appelle Clara. Je viens de rejoindre une association qui aide les personnes qui vivent dans la pauvreté et je suis déjà active : ce soir, je tiens un stand ! Ça me donne de l'énergie de me sentir utile pour une bonne cause !

Piste 31 (2)

3.
▶ Coucou, moi c'est Fiona ! Je suis déjà bénévole, j'accompagne mes parents pendant les fêtes et on va servir à manger à des personnes qui vivent dans la pauvreté. Il y a tellement de situations injustes, je crois qu'on doit tous faire un effort pour essayer de changer les choses. Maintenant, je suis en train de préparer des tracts à distribuer aux gens qui viennent poser des questions et s'informer.

Piste 32 (2)

4.
▷ Moi, c'est Karim, enchanté ! Ce soir, je fais un tour avec une amie, on se renseigne sur les causes représentées. On vient de discuter de la protection de l'environnement avec un bénévole, c'est scandaleux de voir qu'on pollue comme ça et qu'on détruit un peu plus la planète chaque jour ! Je ne peux pas rester les bras croisés ! Je suis déjà convaincu, je pense qu'après notre petit tour je vais aller m'engager pour sauver la planète !

Piste 33 (6)

1.
Amina : Je fais du bénévolat à l'association sportive de mon collège, qui est la soirée pour les adolescents qui ont des problèmes à la maison. Je travaille avec le coach : je dois l'aider à distribuer les maillots et les ballons et quand les joueurs ne comprennent pas ce qu'il faut faire, je vais les voir et je leur réexplique la consigne.

Piste 34 (6)

2.
Richard : Je trouve qu'on mange mal, et c'est pour ça que je fais partie d'une association qui lutte contre la malbouffe. Et une fois par semaine je me mobilise pendant la pause du midi ! Je me mets à l'entrée de la cantine et je distribue des tracts de l'association. Certains élèves me posent des questions et je leur donne des conseils pour mieux manger. Pour être en bonne santé, il faut bien s'alimenter !

Piste 35 (6)

3.
Alice : Certains élèves de ma classe n'aiment pas lire, mais moi j'aimerais beaucoup leur donner le goût de la lecture. Alors, j'ai décidé d'animer un club de lecture ! Ceux qui sont intéressés, je les invite chez moi, je leur montre des livres que j'ai aimés, je leur résume l'histoire... On en choisit un, on le lit et un autre jour on en discute. Souvent, ils se rendent compte qu'ils l'ont bien aimé, et qu'ils ont passé un bon moment à le lire, après tout !

Piste 36 (6)

4.
Enzo : J'aime bien le travail manuel, alors quand il y a un évenement au collège, comme une présentation ou un film, le directeur me demande de l'accompagner un peu avant l'évenement pour tout mettre en place. Les chaises, les micros, les tables à bouger : maintenant, j'ai l'habitude, alors je peux les installer en deux minutes !

Piste 37 (Phonétique, 6)

a. faisons
b. achète
c. achetons
d. ayons
e. venons
f. faites
g. cuisinez
h. suivez
i. soutenons
j. protégeons

Piste 38 (Ma carte mentale, 2)

a. Chaque année, 20 milliards de tonnes de déchets sont déversées dans les océans.
b. Vous êtes végétariens ? Attention, vous mangez des insectes sans le savoir : on en mange, en France, plus de 31 500 tonnes par an !
c. Un quart des espèces végétales et animales risquent de disparaitre avant 2050 à cause de l'activité humaine.
d. 80 % des pollutions marines sont d'origine terrestre, c'est-à-dire causées par la production des hommes.

ORGANISATION
INTERNATIONALE DE
la francophonie

△ Représentations permanentes (Addis-Abeba, Bruxelles, Genève, New York)
☐ Bureaux régionaux (Antananarivo, Bucarest, Hanoi, Libreville, Lomé, Port-au-Prince)
✳ Institut de la Francophonie pour le développement durable (IFDD, Québec)
⊕ Institut de la Francophonie pour l'éducation et la formation (IFEF, Dakar)

■ 54 États et gouvernements membres de l'OIF
■ 4 États et gouvernements membres associés
■ 26 États et gouvernements observateurs

Assemblée parlementaire de la Francophonie (APF, Paris)
Agence universitaire de la Francophonie (AUF)
  ○ Rectorat et siège (Montréal)
  ▲ Rectorat et services centraux (Paris)
5 TV5MONDE (Paris)   5 TV5 Québec Canada (Montréal)
∪ Université Senghor (Alexandrie)
○ Association internationale des maires francophones (AIMF, Paris)
□ Conférence des ministres de l'Éducation de la Francophonie (Confémen, Dakar)
▲ Conférence des ministres de la Jeunesse et des Sports de la Francophonie (Conféjes, Dakar)

Vanuatu

Nouvelle-Calédonie (Fr.)

République de Corée

Vietnam
Laos
Thaïlande
Cambodge

Seychelles

Maurice
Réunion (Fr.)

Comores
Mayotte (Fr.)
Madagascar

Mozambique

Émirats
arabes unis
Qatar

Djibouti

Rwanda
Burundi

Rép. dém.
du Congo

Géorgie
Arménie

Liban
Chypre

Égypte

Niger
Tchad

Rép.
centrafricaine

Congo
Gabon
Guinée équatoriale
São Tomé-et-Príncipe

Cameroun

1. Croatie
2. Bosnie-Herzégovine
3. Monténégro
4. Kosovo
5. Ex-république yougoslave de Macédoine

Estonie
Lettonie
Lituanie

Ukraine
Pologne
Moldavie
Roumanie
Hongrie
Bulgarie
Rép. tchèque
Autriche
Slovénie
Serbie
Grèce
Albanie

Tunisie

Mali
Burkina
Faso
Bénin
Côte
d'Ivoire
Togo
Ghana

Mauritanie

Maroc

Cap-Vert
Sénégal
Guinée-Bissau
Guinée

Féd. Wallonie-Bruxelles
Belgique
Luxembourg
France
Suisse
Andorre
Monaco

Saint-Pierre-et-Miquelon (Fr.)

Canada
Nouveau-
Brunswick

Canada
Québec

Canada
Ontario

Canada

Mexique

Costa Rica

Rép. dominicaine
Haïti

Guadeloupe (Fr.)
Dominique
Martinique (Fr.)
Sainte-Lucie

Guyane (Fr.)

Uruguay
Argentine

Îles Falkland (Malvinas)

Wallis-et-Futuna (Fr.)

Polynésie française (Fr.)

HAUTS-DE-FRANCE

62 Pas-de-Calais — Lille
Arras — 59 Nord
80 Somme — Amiens
76 Seine-Maritime — Rouen
Beauvais — Laon — Charleville-Mézières
08 Ardennes
60 Oise — 02 Aisne

NORMANDIE

50 Manche
St-Lô — Caen
14 Calvados
Evreux
27-Eure
61-Orne
Alençon

ILE-DE-FRANCE

95-Val-d'Oise — Pontoise
Versailles — 78 Yvelines
91 Essonne — Evry — Melun
77 Seine-et-Marne

GRAND-EST

Châlons-sur-Marne — 55 Meuse — Metz — 57 Moselle
Bar-le-Duc — Nancy — Strasbourg
51 Marne — 54-Meurthe-et-Moselle — 67 Bas-Rhin
Troyes — 10 Aube — Chaumont — 88-Vosges — Épinal — Colmar
52 Haute-Marne — 70 Haute-Saône — Vesoul — 68 Haut-Rhin
21 Côte-d'Or — Dijon — Besançon — Belfort
89 Yonne — Auxerre — 25 Doubs — 90 Territoire de Belfort

BRETAGNE

29 Finistère — Quimper
22 Côtes-d'Armor — St-Brieuc
35 Ille-et-Vilaine — Rennes
56 Morbihan — Vannes

PAYS-DE-LA-LOIRE

53 Mayenne — Laval
72 Sarthe — Le Mans
41 Loir-et-Cher — Blois
44 Loire-Atlantique — Nantes — Angers
49 Maine-et-Loire — Tours
85 Vendée — La Roche-sur-Yon

CENTRE-VAL-DE-LOIRE

28 Eure-et-Loir — Chartres
45 Loiret — Orléans
37-Indre-et-Loire
36 Indre — Châteauroux
18 Cher — Bourges

BOURGOGNE-FRANCHE-COMTÉ

58 Nièvre — Nevers
71 Saône-et-Loire
39 Jura — Lons-le-Saunier
Mâcon

NOUVELLE-AQUITAINE

79 Deux-Sèvres
86 Vienne — Poitiers
Niort
17 Charente-Maritime — La Rochelle
16 Charente — Angoulême
87 Haute-Vienne — Limoges
23 Creuse — Guéret
19 Corrèze — Tulle
33 Gironde — Bordeaux
24 Dordogne — Périgueux
47 Lot-et-Garonne — Agen
40 Landes — Mont-de-Marsan
64 Pyrénées-Atlantiques — Pau

AUVERGNE-RHÔNE-ALPES

03 Allier — Moulins
01 Ain — Bourg-en-Bresse — 74 Haute-Savoie — Annecy
63 Puy-de-Dôme — Clermont-Ferrand
69 Rhône — Lyon
42 Loire — St-Étienne
15 Cantal — Aurillac
43-Haute-Loire — Le Puy
07 Ardèche — Privas — Valence — 38 Isère — Grenoble
26 Drôme — Chambéry — 73 Savoie

OCCITANIE

46 Lot — Cahors
12 Aveyron — Rodez
48 Lozère — Mende
82 Tarn-et-Garonne — Montauban
81 Tarn — Albi
32 Gers — Auch
31 Haute-Garonne — Toulouse
30 Gard — Nîmes
34 Hérault — Montpellier
65 Hautes-Pyrénées — Tarbes
09 Ariège — Foix
11 Aude — Carcassonne
66-Pyrénées-Orientales — Perpignan

PROVENCE-ALPES-CÔTE-D'AZUR

84 Vaucluse — Avignon
05 Hautes-Alpes — Gap
04 Alpes-de-Haute-Provence — Digne
06 Alpes-Maritimes — Nice
13 Bouches-du-Rhône — Marseille
83 Var — Toulon

CORSE

Bastia — 2B Haute-Corse
Ajaccio — 2A Corse-du-Sud

Basse-Terre — 971 Guadeloupe
Fort-de-France — 972 Martinique

Cayenne — 973 Guyane

Mamoudzou — 976 Mayotte

Saint-Denis — 974 La Réunion